C000149623

Biblioteca Universale Rizzoli

Andrea Camilleri

La mossa del cavallo

BUR

SCRITTORI CONTEMPORANEI

Proprietà letteraria riservata
© 1999 RCS Libri S.p.A., Milano

ISBN 88-17-25189-5

Prima edizione Superbur Narrativa: ottobre 2003
Quinta edizione Scrittori Contemporanei: marzo 2004

Per conoscere il mondo BUR visita il sito **www.bur.rcslibri.it** e iscriviti
alla nostra newsletter (per ulteriori informazioni: **infopoint@rcs.it**).

"Il cavallo è l'unico pezzo del gioco che può scavalcare gli altri. Si muove in un modo davvero speciale, disegnando una 'L': prima di due caselle in orizzontale o in verticale, come una torre, e poi di una casella a destra o a sinistra. Un particolare da non dimenticare: un cavallo che muove da una casella nera arriva sempre in una casella bianca. Al contrario, un cavallo che muove da una casella bianca arriva sempre in una casella nera. Il cavallo può scavalcare qualunque pezzo."

A. Karpov, *Il manuale degli scacchi*

Sabato 1 settembre 1877

«Dominivobisco.»

«Etticummi spiri totò» risposero una decina di voci sperse nello scuro profondo della chiesa, rado rado punteggiato da qualche lumino e da cannìle di grasso fetente.

«Itivìnni, la missa è.»

Ci fu una rumorata di seggie smosse, la prima messa del matino era finita. Una fìmmina ebbe una botta di tosse, patre Artemio Carnazza fece una mezza inginocchiata davanti all'altare maggiore, scomparse di prescia nella sacrestia dove il sacrestano, morto di sonno com'era sempre, l'aspettava per aiutarlo a spogliarsi dai paramenti. I fedeli abituali della prima messa lasciarono tutti la chiesa, cizziòn fatta di donna Trisìna Cìcero, la fìmmina che aveva tussiculiàto, la quale se ne ristò in ginocchio, sprofondata nella preghiera. Donna Trisìna s'appresentava alla prima messa da una quindicina di matine, non era difatti canosciuta come chiesastrica, in chiesa compariva solamente la domenica e le sante feste comannàte. Si vede che le era capitato di fare piccàto e ora voleva farsi pirdonare dal Signiruzzo. Donna Trisìna era una trentina mora, con gli occhi verdi sparluccicanti e due labbra rosse come le fiamme dell'inferno. Mischineddra, era rimasta vìdova da tre anni. Da allora si vestiva tutta di nìvuro, a lutto stretto, lo stesso però gli òmini quando che la vedevano passare facevano cattivi pinsèri, tanta grazia di Dio senza che ci fosse un màscolo a governarla. Ma in paìsi c'era chi sosteneva che quel campo era stato invece arato e abbondantemente seminato da almeno due volenterosi: l'avvocato don Gregorio Fasùlo e il fratello del delegato, Gnazio Spampinato.

Donna Trisìna aspettò che il sacrestano se ne niscisse dalla chiesa, poi si fece la croce, si susì e s'avviò verso la sacristìa. Trasì cautelosa. La luce primentìa del giorno le bastò per assicurarsi che nel locale non c'era anima criàta. Proprio allato al grande armuàr di piscipàino dove stavano i paramenti, una porticina s'apriva su una scala di legno che portava al quartino in dove che il parrino ci aveva abitazione.

Patre Artemio Carnazza era un omo che stava a mezzo tra la quarantina e la cinquantina, rosciano, stacciùto, amava mangiari e bìviri. Con animo cristiano era sempre pronto a prestare dinaro ai bisognevoli e doppo, con animo pagano, si faceva tornare narrè il doppio e macari il triplo di quello che aveva sborsato. Soprattutto, patre Carnazza amava la natura. Non quella degli aciddruzzi, delle picorelle, degli àrboli, delle arbe e dei tramonti, anzi di quel tipo di natura egli altissimamente se ne stracatafotteva. Quella che a lui lo faceva nèsciri pazzo era la natura della fìmmina che, nella sua infinita varietà, stava a cantare le lodi alla fantasia del Criatore: ora nìvura come l'inca, ora rossa come il foco, ora bionda come la spica del frumento, ma sempre con sfumature di colore diverse, con l'erbuzza una volta alta che sontuosamente oscillava al soffio del suo fiato, un'altra volta corta corta come appena falciata, un'altra volta ancora fitta e intrecciata come un cespuglio spinoso e sarvaggio. Sempre si maravigliava quanno che ne vedeva una nova, perché nova novissima era veramente con tutto il suo particulare da scoprire, da percorrere centilimetro appresso centilimetro fino alla grotticella càvuda e ùmita dintra alla quale trasìre a lento a lento, adascio, che doppo era la grotticella istessa ad afferrarti stretto, a inserrarti le sue pareti intorno, a portarti fino al fondo più fondo in dove che stimpagna l'acqua di vita.

Donna Trisìna acchianò la scala di legno un piede leva e l'altro metti, attenta a non fare rumorata perché il legno, di gradino in gradino, aumentava di scrùscio, faceva come un lamento.

«Meglio accussì» le aveva spiegato il parrino «pirchì se qualichiduno mi viene a cercare, io lo sento che sta arrivando.»

Intanto che donna Trisìna acchianava, patre Carnazza si era levato la tonaca e sopra la maglia e le mutanne aveva indossato la vistaglia che gli era stata rigalata da una delle sue parrocciane, di seta rossa e arriccamata d'oro che manco il vìscovo.

Visto che il parrino non stava nella càmmara di mangiare (doppo la prima messa faceva colazioni con mezzo litro di latte di capra e mezza dozzina d'ova fritte), donna Trisìna s'accostò alla porta della càmmara di letto e taliò dintra, sporgendo appena la testa. Le persiane erano accostate, ma trapelava la luce di una giornata che avrebbe portato calura. Non vide a nisciuno manco lì. Si fece pirsuasa che patre Artemio era stato necessitato a chiudersi nel cammarìno di còmmodo per dare soddisfazione a un bisogno naturale. Avanzò d'un passo. E il parrino, che stava riparato darrè la porta tenendo il respiro, niscì di colpo, l'abbrancò per di dietro, la spingì contro il letto, l'obbligò a mettersi affacciabbocconi. Donna Trisìna riniscì a non fare voci per lo scanto che si era pigliata, ma quanno sentì la mano libera di patre Artemio (l'altra gliela teneva premuta sulla schiena per mantenerla ferma nella posizione) decisamente infilarsi sotto la gonna, la controgonna e la fodetta per calarle le mutanne, reagì gridando un «no!» secco come una scopettata. Il parrino parse non averla sentita, respirava accussì forte che pareva gli dovesse venire un sintòmo da un momento all'altro. Donna Trisìna capì che la posizione nella quale il parrino la teneva era assai perigliosa, isò un piede e sparò un càvucio all'urbigna. Pigliato in pieno nei cabasisi, patre Artemio lassò la presa e si piegò in due, la bocca spalancata a cercare aria.

Trisìna ne approfittò per susìrisi dal letto e riaggiustarsi il vestimento.

«Ci dissi di no!» fece arraggiata. «Ci dissi che l'atto intero non lo voglio fare! Ancora càvudo nella tomba è il pòviro marituzzo mio!»

Patre Carnazza era ancora intordonuto per il dolore, ma alle parole di donna Trisìna si sentì acchianare il sangue alla testa.

«Ma che minchiate mi vieni a contare! Macari Lazzaro doppo due jorna di tomba feteva! Che mi vieni a dire di càvudo e càvudo doppo che quel grandissimo cornuto di to' marito è morto da tre anni!»

Senza degnarlo di una parola di risposta, la fìmmina tornò nella càmmara di mangiari, pigliò una seggia, s'assittò. Il parrino, doppo tanticchia, fece l'istesso: se Trisìna non se n'era andata sdignata, veniva a dire che le trattative potevano continuare.

Quella storia durava da una decina di jorna, Trisìna

doppo la messa s'appresentava nel suo quartino, ma appena che lui ci metteva una mano sopra quella s'arrivoltava come la vipera che era. Quant'era beddra, però, la pìpera! Non ci sapeva resistere. Si fece persuaso che ancora una volta, per ottenere qualiche cosuzza da lei, doveva pagare.

Fino a quel momento, la taliàta di una minna nuda gli era costata cento grammi di cafè bono; la taliàta di tutt'e due le minne nude, trecento grammi di zùccaro; una vasata senza lingua, mezzo chilo di farina; una vasata con la lingua, un chilo di pasta fina di Napoli; una vasata con la lingua e le due minne nude, tre tazzine di porcellana e relative sottotazze; una passata di mano a lèggio a lèggio sopra le minne nude, un cucchiarino di vero argento; una vasata per ogni capezzolo, un rotolo di tela matapollo finissima per fare camicie. Trisìna era fimmina di agevole stato, il marito le aveva lasciato case e terreni, ma aveva, in prìmisi, un istinto di gazza latra e, in secùndisi, una testa di vera buttana alla quale piaceva farsi pagare.

"Questa troia mi sta spogliando la casa" pinsò amaramente il parrino "e mi permette di traffichiare solo nei suoi piani alti!"

E fu allora che gli venne l'idea di come alloggiare meglio in quei piani alti.

Trisìna intanto si taliàva torno torno.

«Quant'è bello quel lume!» sclamò.

E lo contemplò con le labbra mezzo aperte, che si vedeva la punta della lingua. A quella vista, il fiato del parrino sonò come un mantice.

«Ti piace?»

«Essì» fece Trisìna tirando fora la lingua e passandosela sopra le due vampe di foco ch'erano le sue labbra. Si era leccata, proprio come una gatta davanti a un pezzo di carne.

«E io te l'arregalo. Mi chiange il core pirchì è un ricordo caro. Apparteneva a mia sorella Agatina che il Signiruzzo si chiamò.»

«E io lo voglio» fece la fimmina con la boccuccia stretta, a culo di gaddrina.

«Prima però facciamo un joco» disse il parrino, cominciando a mettere in posta l'idea che gli era venuta.

«Quali joco? Non ho gana di giocare.»

Patre Carnazza si susì, raprì una porticeddra, scomparse dintra la dispensa dove ci teneva la robba di mangiari e di bìviri.

«Lo sapi, parrì» fece Trisìna ad alta voce. «Una casa affittai, quella di Vigàta, quella quasi a ripa di mare.»

«Ah, sì? E a chi?» spiò il parrino tornando nella càmmara e tenendo la mano dritta darrè la schina.

«Il sinsàle mi disse che serve a un forastèri, il novo ispettori capo ai molini. Travaglia ccà, a Montelusa. Io di pirsòna non lo canoscio.»

Patre Carnazza, con un sorrisino, le mostrò quello che aveva pigliato dalla dispensa. Trisìna taliò, certamente erano frutti, ma non li aveva mai veduti prima.

«Banane, si chiamano» spiegò il parrino. «Stanno in Africa. Me le portò aieri doppopranzo un amico mio che nàvica. Una me la mangiai. Una cosa di paradiso. E con queste due ci facciamo il joco che ti dissi.»

S'assittò davanti alla fimmina, sbucciò una banana. Appena ch'ebbe finito, Trisìna allungò la mano. Il parrino la scansò.

«Ti civo io» disse «come si fa con i picciliddri.»

Obbediente, Trisìna serrò gli occhi e raprì la voccuzza. Patre Carnazza le introdusse delicatamente tra le labbra la punta della banana che la fimmina decapitò di netto. Il parrino sussultò. Trisìna mastichiò, agliuttì, raprì gli occhi.

«Ancora.»

Finita la banana, si mostrò delusa.

«Chisto era il joco?»

«No, ora lo facciamo» rispose il parrino pigliando la banana che aveva posata sul tavolo e principiando a sbucciarla «io ora mi suso e mi metto davanti a tia con la banana in mano. Tu te ne resti assittata con gli occhi serrati. Tu devi dare una volta un morso alla banana e un'altra volta invece una bella vasata. Se sbagli, se dai due vasate o due morsi di seguito, paghi pegno. E il pegno lo stabilisco io. Se c'inzerti, ti regalo il lume.»

«E va bene» fece Trisìna, serrando gli occhi e inumidendosi le labbra con la lingua. Aveva capito benissimo il joco del parrino.

A pensare ai denti che Trisìna aveva, patre Carnazza sudò freddo: se quella si sbagliava, sarebbe stato un guaio grosso.

Lo "scrafaglio merdarolo" di nome scientifico si viene a chiamare "scarabaeus sacer", ma di sacro non ha proprio niente, tiene l'abitudine di fare pallottuzze di merda, d'omo o d'armàlo non ha importanza, che poi se le rotola infino alla tana, gli servono per mangiarsele mentre che c'è l'invernata. I montelusani, che avevano la particolarità d'assegnare la giusta 'ngiuria a ogni persona che gli veniva a tiro, avevano di subito chiamato "scrafaglio merdarolo" l'intendente di Finanza La Pergola commendator Felice il quale, a stare a quanto si contava, appena gli veniva passata la mazzetta, rapidamente l'appallottolava e se la metteva in sacchetta per andarsela a nascondere in casa, dato che non risultava avesse deposito di denaro in nisciuna delle due banche di città. Tra le tante pallottuzze di merda che l'intendente si era intanato nei cinque anni di servizio a Montelusa, le più grosse e sostanziose erano state quelle fornite prima dall'ispettore capo ai mulini Tuttobene Gerlando, scomparso in mare durante una solitaria partita di pesca e mai più ritornato a riva, e doppo dal suo successore Bendicò Filiberto, questo sì ritrovato, ma dintra a un vallone e mezzo mangiato dai cani, astutato da un colpo di lupara.

In seguito a questi luttuosi eventi, assai restìo chi avrebbe dovuto succedere ai due ex ad occuparne il posto, il direttore generale che stava a Roma aveva deciso di spedire a Montelusa un ispettore capo dotato di tutti gli attributi per rimettere le cose a posto.

Al solo vederselo davanti questo novo ispettore capo, lo scrafaglio merdarolo capì di subito due cose. La prima era che si stava avvicinando una grandissima carestia di merda e la seconda era che con quell'omo bisognava procedere con cautela, attento a misurare la parola.

Giovanni Bovara, più che un impiegato della pubblica amministrazione, pareva un militare di carriera in borghese. Era un quarantino coi capelli a spazzola e baffi lunghi curatissimi, abito scuro di stoffa bona, dritto nel personale. Aveva occhi cilestri, chiari chiari. Al commendator La Pergola fece 'ntipatia. Calò gli occhi sulle carte che aveva davanti tenendo con una mano il pince-nez.

"Un sorcio cieco" lo qualificò Bovara che ignorava l'altra 'ngiuria.

«Lei risulta essere nato a Vigàta, a pochi chilometri da qui.»

«Sì.»

«Dalle note personali si evince che lei, di tre mesi appena, è stato portato a Genova dove suo padre aveva trovato lavoro.»

«Sì.»

«A Genova ha studiato, si è guadagnato il diploma di ragioniere, ha fatto un concorso nell'Amministrazione, l'ha vinto e ha brillantemente prestato servizio a Modena, Bologna e Reggio Emilia.»

«Sì.»

«È scapolo?»

«Sì.»

«Come ha trovato la casa di Vigàta che le ho fatto procurare dal sensale?»

«Non ho ancora avuto tempo d'andarci.»

«Ci andrà in giornata?»

«No. Stasera resterò in albergo qui, a Montelusa. Mi trasferirò domattina con calma. Ho pensato fosse mio dovere, appena arrivato, prima di tutto presentarmi al mio superiore.»

«Mi dicono che nemmeno in Emilia la situazione è tranquilla.»

«Già.»

«Manco qui c'è da scherzare, carissimo. La tassa sul macinato, diciamocelo a quattr'occhi, è invisa.»

«Già.»

Il commendator La Pergola decise di cangiare discorso sperando di non sentire ancora "sì" e "già" da quella pala di ficodindia.

«Lei c'è già stato in Sicilia? Da adulto, intendo.»

«No.»

«Come certamente saprà, per svolgere il suo lavoro ispettivo, lei ha diritto a una carrozza con relativo gnuri.»

«Prego?»

«Lei non parla il nostro dialetto?»

«L'ho quasi del tutto dimenticato.»

«Allora lei è un siciliano che parla genovese» disse l'intendente stringendo gli occhietti e facendo una risatella che alle orecchìe di Bovara suonò come uno squittìo.

"È proprio un sorcio cieco" pensò. E non rispose.

«Gnuri da noi significa cocchiere» spiegò l'intendente. E continuò:

«Naturalmente è una spesa che questo officio provvederà a rimborsarle previa documentazione.»

«Non penso d'averne bisogno.»

«Dello gnuri? Pardon, del cocchiere?»

«Della carrozza.»

«Ah, no? E come farà a muoversi?»

«A cavallo. Cavalco abbastanza bene.»

«Be', sa, non parlando il nostro dialetto, potrebbe incontrare qualche difficoltà a orientarsi.»

«Cercherò di farcela.»

«C'è da considerare che potrebbe fare qualche cattivo incontro...»

«Sono armato. Ho il porto d'arme.»

«E se piove?»

«Mi bagnerò.»

«Senta, carissimo, non pensi che in Sicilia ci sia sempre il sole, come vogliono far credere. Qui, quando piove, diluvia.»

«Mi scusi, commendatore. È proprio quando piove che si ottengono i migliori risultati dalle ispezioni. Nessuno se le aspetta col cattivo tempo.»

«Già» fece a sua volta l'intendente, pinsòso.

Pinsòso per due motivi: uno, doveva far sapìri subito

all'avvocato Fasùlo, perché ne riferisse a chi di ragione, che il novo ispettore aveva intinzione d'andarsene campagne campagne macari col malottempo e che perciò andavano messi all'allerta tutti i mulinari della provincia; due, che il novo ispettore capo, nel giro di qualche simanata, sarebbe stato ritrovato in un vallone mezzo mangiato dai cani come il compianto Bendicò.

«Giacché ci sono, vorrei vedere l'officio che mi è stato assegnato.»

Quello voleva pigliare subito possesso dell'officio, gli brusciava il culo di principiare a fare danno, aveva gana d'autopsia.

«La faccio accompagnare. Poi, con comodo, faremo due chiacchiere.»

«Ha da darmi ordini?»

«Ordini? Per carità! Consigli, semmai. Utili per uno come lei che non è stato mai in Sicilia.»

Naturalmente, gli era stato assegnato l'officio al secondo piano già appartenuto a Bendicò e, in precedenza, a Tuttobene. A Giovanni venne l'impulso di toccarsi per scongiuro, ma si vergognò del pensiero.

Era una camera spaziosa con un grande balcone dal quale si vedeva la campagna con alberi di mandorli e d'olivi. In un angolo, la pressa del copialettere, nella parete di mancina un alto casellario serrato a chiave, ma con la chiave nella toppa. Poi c'erano lo scagno, un piccolo canapè, due poltrone, tre sedie. A Giovanni fece impressione il disordine delle carte sparpagliate non solo sullo scagno, sulle poltrone, sul canapè, sulle sedie, ma anche per terra. Si voltò a guardare l'usciere Caminiti.

«Come mai questo disordine?»

«Eh!»

«Che significa?»

«Significa che nisciuno ci vole mettere mano nelle carte del cavaliere Bendicò» disse Caminiti. E precisò: «Nisciuno dell'Intendenza».

«E perché?»

L'usciere fece un sorrisino che irritò Giovanni.

«Rispondete, invece di sorridere scioccamente.»

«Cillenza, capace che se uno mette la mano in queste carte viene muzzicàto da qualiche armàlo vilenoso.»

«Armàlo?»

«Sissi, bestia vilenosa. Qualiche tarantola ballerina, qualiche vìpira... armàli accussì.»

«State scherzando?»

«Nonsi, cillenza. Io non sgherzo, non babbìo mai. E macari vossia ci deve stare attento a queste carte... Non ci conviene smurritiàrle. Vossia ci fa tanti pacchi e doppo io li porto fora ad abbrusciare. Mi spiegai?»

«No, non vi siete spiegato» disse brusco Giovanni licenziandolo.

Un usciere imbecille era proprio quello che ci voleva. Ma come poteva credere che una bestia velenosa avesse fatto la tana tra le carte di un officio pubblico? Questa, si ripromise, l'avrebbe scritta a lalla Giovanna. Si sarebbe messa a pancia in terra per il gran ridere.

«Io gli sparo a quel grannissimo garruso di parrino!» esplose Memè Moro appena messo piede fora dal Tribunale. L'avvocato Losurdo l'afferrò per un braccio.

«Si calmasse, don Memè.»

«Si calmasse una minchia! Io gli sparo a quel cornuto di patre Carnazza, quant'è vero Cristo inchiovato alla croce!»

«Parlasse più piano, don Memè, la possono sentire.»

«Me ne stracatafotto se mi sentono!»

Memè Moro aveva appena perso l'ultima causa contro so' cuscino, il parrino Carnazza, cugino per parte di matre. Era una questione d'eredità che si strascicava da una decina d'anni. A lento, causa appresso causa, patre Carnazza si era pigliato quello che Memè Moro aveva creduto gli appartenesse di diritto, terreni e case.

«Vedrà che il lodo sul fondo Pircoco sarà a nostro favore» tentò di calmarlo l'avvocato. «Per quanto io ne capisca di legge, stavolta non c'è dubbio...»

«Lei, avvocato, di legge ne capisce quanto una capra! Lei, avendo perso tutte le cause, per il fondo Pircoco ha voluto fare ricorso al lodo arbitrale. E lo sa come andrà a finire? Che me lo metteranno in culo con tanto di lodo!»

«Andiamoci a pigliare un cafè» propose l'avvocato.

Non gli piaceva che la gente che trasìva e niscìva dal Tribunale sentiva come il suo assistito la pensava sulla sua assistenza.

Memè Moro manco gli rispose e s'allontanò.

«Lo sparo! Lo sparo come si merita!»

Lo andava proclamando all'urbi e all'orbo. E la gente si voltava a taliàrlo.

Ancora sabato 1 settembre 1877

Capì che non gli sarebbe stato possibile entrare in quella stanza lunedì, quando avrebbe dovuto pigliare servizio, se non la metteva immediatamente in ordine.

«Potete andare a comprarmi un po' di pane, un pezzo di formaggio e un bicchiere di vino?»

Caminiti lo taliò ammammaloccùto.

«Chi fa, vossia? Ccà si metti a mangiari?»

«Sì. È proibito?»

«Comu voli voscenza. Chi cacio formaggio addesìdera? Tumazzo?»

«Quello che volete.»

Giovanni liberò una sedia e sedette sconsolato, mettendosi a guardare torno torno. Da dove cominciare? Forse sarebbe stato utile dare un'occhiata, sia pure di prescia, a quelle carte. Pigliò un foglio a caso, iniziò a leggere.

Dopo un quarto d'ora tornò Caminiti con un cabarè di metallo sul quale c'erano una forma intera di pane, una fetta di formaggio pecorino, un'altra fetta di formaggio col pepe, un dolce di ricotta, una bottiglia di vino rosso già stappata, un bicchiere.

«Eh, quanta roba! Quanto avete speso?»

«Nenti.»

«Come niente?!»

«Scinnìi nella trattoria quassotto, ordinai, dissi che serviva per il novo ispettori capo dei molini. Allora uno, ch'era assittato con altri signori, disse che pagava lui ogni cosa.»

«E voi, Cristo santo, avete accettato?»

«E che potevo fare io, mischineddru? Quello don Cocò Afflitto era!»

«E chi è?»

«Uno.»

«Bene» disse Giovanni «ora pigliate il vassoio così com'è, lo riportate giù, ringraziate quel signore e tornate indietro.»

«E chi fa? Non mangia cchiù?»

«Mangerò stasera.»

Caminiti si strinse nelle spalle.

«Vossia, mi perdonasse, è uno che se la va a cercari.»

Andato via l'usciere, Giovanni continuò a scorrere rapidamente le carte. Tutt'insieme gli venne un pensiero. Possibile che Bendicò lavorasse in officio con tutta quella confusione attorno? Caminiti doveva essere tornato, lo chiamò ad alta voce.

«Ai cumanni, cillenza.»

«Avete riportato giù la roba?»

«Certo, cillenza.»

«E che ha detto quel signore... come si chiama?»

«Don Cocò Afflitto. Nenti, che doveva diri? Si è messo a rìdiri. Pirsòna di spirito è don Cocò.»

«Sentite una cosa: Bendicò lavorava così?»

«Accussì comu?»

«Non lo vedete questo disordine?»

«Ah, no. Il cavaliere Bendicò pirsòna ordinatissima era.»

«E allora chi è stato?»

«Mah... vìnniro genti... don Ciccio La Mantìa... l'avvocato Fasùlo...»

«Sono funzionari dell'Intendenza?»

«Cu?»

«Questi che avete appena nominato, La Mantìa, Fasùlo...»

«Ma quanno mai!»

«Allora chi sono?»

«Non lo saccio chi sono.»

«Ma se sapete come si chiamano?»

«E che viene a dire? Una cosa è sapìri comu si chiama una pirsòna e una cosa è sapìri cu è.»

«Perché li avete fatti entrare?»

«Me l'ordinò sua cillenza il signor intendente.»

Quattro ore c'impiegò a fare ordine tra le carte. Le aveva divise in due grossi mucchi: nel primo ci aveva messo lettere private, fogli di giornali, appunti incomprensibili, abbozzi di risposte a ricorsi; nel secondo aveva accatastato documenti, promemoria, rapporti che stimò degni di una rilettura.

Gnà Pippineddra Camastra non era parrocciana di prima messa di patre Carnazza, era invece una fidele dell'Angiulus. Con la sua cummàre Nitta Fragalà, che invece in chiesa ci faceva casa e putìa, si vidivano perciò alla finziòni della sera e facevano un pezzo di strata 'nzemmula dato che le loro case erano vicine di vicolo.

«C'è chista fìmmina ca non mi persuade» attaccò quella sera gnà Nitta.

«Quali fìmmina, cummà?»

«Di nomu mi pari ca fa Trisìna Cìcero.»

«La canoscio. Vìdova è. S'avìa maritato a don Arminio

29

che era sissantìno e lei manco vintìna. Arminio aveva perso la testa pi sta picciotta. E pirchì non vi pirsuade, cummà?»

«In chiesa, prima, non cumpariva mai. Ora fanno una quinnicina di jorna ca s'appresenta a la prima messa e doppo se ne trase in sacristìa.»

«Ahi ahi» fece gnà Pippineddra.

Le due cummàri canoscevano com'era fatto il parrino Carnazza in quanto a pelo fimminìno, ma non ci portavano scànnalo: l'omo è omo e tale resta macari se porta i vestimenta di lu Papa. E po', che dicivano l'antichi che bazzicavano con la sapienzia? Dicivano:

"Monaci e parrini
sentici la missa
e stòccaci li rini."

Che veniva a significare che i parrini servivano solo per sentirci dire la santa messa, doppo si poteva spezzarci la schina.

«E si-donna Romilda?» spiò gnà Pippineddra.

«Mah» fece gnà Nitta. «A la matina non compare cchiù.»

«Be'» disse gnà Pippineddra «vi devo lassare, cummà. Mi venne a mente ca devo ancora fare una cosa.»

Quello che aveva appena saputo dalla cummàre Nitta voleva di subito andare a contarlo a so' figlia Catarina che faceva la cammarèra in casa di si-donna Romilda.

Si-donna Romilda, mogliere del ricevitore postale Brucculeri cavalier Arturo, era la fìmmina che, prima della comparsa di donna Trisìna, usava trasìre in sacristìa appena finita la prima messa.

Guardò fuori della finestra, verso la campagna, e s'accorse che il sole era a filo d'orizzonte. Gesù! Quanto tempo ci aveva impiegato a mettere in ordine le carte?

«Caminiti!»

L'usciere non rispose. Allora s'affacciò alla porta.

«Caminiti!»

A sò voxe reciòcca into corridô veuo. O va inderrê, o piggia il campanello ch'o l'ëa sciortio d'in mëzo a-i papê. O l'à sunnòu. O l'aspëta. Caminiti manco stavolta si fece sentire. Uscì into corridô, squæxi a-o scûo e tornò a scuotere o sunaggin. Tutte e pòrte di offiçi ëan averte, ma no si fece avanti nisciun à domandâghe cös'o fäva. O s'è affermòu in mëzo a-o corridô e, con un çerto nervosismo, o l'à torna scrollòu o sunaggin. Ti me veu dî che quello sciòllo de'n portê o s'è ascordòu de lê e o l'à serròu drento inte l'Intendensa? O fa ätri dö trei pasci, o s'afferma torna e gli venne in mente quell'incontro a Reggio Emilia. In sciô fâ da sèia, con un amigo, o l'aiva visto passâ pe stradda comme un monego con unna sottann-a grixa, o scappusso tiòu zù à crovîghe tutta a faccia, dòi pertusi da-i euggi. In man o gh'aiva un sunaggin e ô fäva sunnâ de longo.

«A che ordine appartiene?» aveva domandato, curioso.

«Non è un frate, è un lebbroso.»

Tenendo stretto nel pugno il campanello per non farlo più suonare, tornò di corsa nel suo officio. Intravide un'ombra vicina allo scagno, si bloccò impaurito.

«Chi c'è?»

«E chi ci devi èssiri? Caminiti sono.»

«Vi ho chiamato un sacco di volte!»

«A fare un bisogno ero.»

Giovanni gli indicò le carte, il mucchio più alto.

«Quelle potete portarle via.»

«Le abbruscio?»

«Sì.»

«Bene fece, cillenza.»

Agguantò, faticando, mezzo mucchio, uscì, tornò, pigliò l'altro mezzo, uscì, tornò, fece per prendere il secondo mucchio che era assai meno alto del primo.

«Quelle no.»

«No?»

«Le voglio guardare domani.»

«Male fece» disse Caminiti.

S'avviò verso la porta, dopo due passi, si voltò.

«Dumani disse?»

«Sì, domani. Perché?»

«Pirchì dumani è domìnica. Si lo scordò?»

«Ah, già. Sarà per lunedì. Arrivederci, Caminiti.»

«Voscenzabinidica.»

Per arrivare all'albergo, il Gellia, doveva camminare per tutta via Atenea, che tagliava a metà la città. La strada era piena di gente. Notò tre giovanetti che gli venivano incontro, fini, vestivano tutti e tre da grandi, paglietta e bastoncino da passeggio, e si scappellavano, inchinandosi a dritta e a manca. Parevano marionette tirate da invisibili fili. Ormai faceva scuro.

Appena entrato in albergo, il portiere l'avvertì ch'era venuto a cercarlo il delegato Spampinato, desiderava parlargli con urgenza. Se non lo scomodava troppo, poteva passare un momento in delegazione? Il delegato l'avrebbe aspettato fino alle nove di sera. Si fece spiegare dove stava la delegazione: a pochi passi dall'Intendenza. Tanto valeva sbrigare subito la faccenda. Salì nella sua camera, si dette una lavata, uscì di nuovo. In via Atenea incontrò ancora i tre giovanetti, continuavano a scappellarsi a dritta e a manca.

Quando Giovanni entrò nell'officio del delegato Spampinato, ci trovò due uomini. Tutti e due erano intenti a lavori di scavo e asporto. Quello seduto dietro lo scagno aveva l'indice della mano destra dentro il naso; l'altro, che stava a cavalcioni di una sedia, si puliva i denti coll'unghia del mignolo che teneva lunghissima. L'impressione che Giovanni ebbe del delegato fu che si trattava di un uomo ordinario il quale faceva di tutto per sembrarlo di più: trasandato, la giacca macchiata non si sa di che, le braghe sbottonate. Era grasso e sudava. L'altro era invece un tipo segaligno, aveva i denti di un cavallo.

«S'accomodasse» fece il delegato senza manco accennare ad alzarsi. E indicando l'altro:

«Questo è me' frati Gnazio.»

Giovanni non voleva stare in presenza di quei due un minuto di più dello stretto necessario e perciò rimase in piedi.

«Voleva vedermi? Mi dica.»

«Lo sa che il signor questore un grandissimo liscebusso mi fece?»

«Non ho capito quello che le ha fatto il questore. Comunque, la faccenda mi riguarda?»

«Essì. O almeno l'arriguarderà. Trattasi che il signor questore m'arrimprovera d'avere lasciato quella gran testa di minchia, parlandone da vivo, del suo ex collega Bendicò senza scorta doppo che c'era stata qualche littera anonima.»

«Non capisco ancora perché la questione debba riguardarmi.»

Il delegato Spampinato non rispose subito, squatrò il forestèri dalla testa ai piedi e arrivò alla conclusione che quell'ispettore, con tutta l'ariata di superiorità che si dava, gli stava propriamente sui cabasisi.

«L'arriguarda perché, appena che lei lunedì piglia servizio, mi deve fare sapìri in quali molini andrà a farci l'ispezione.»

«Nemmeno per sogno.»

«Taliàsse: io devo, per ordine superiore, preparare un servizio di sorveglianza sopra di lei. Accussì, se putacaso la sparano, io non ci ho responsabilità.»

Giovanni lo guardò e non disse niente.

«Sentisse bene, signor ispettore. Il suo ex collega Tuttobene è stato sicuramente ammazzato e fatto mangiare ai pisci che lui invece si voleva mangiare. L'altro suo collega Bendicò è stato sparato e i cani l'hanno fatto a pezzi. Sono stato chiaro?»

«Chiarissimo. E le ripeto: nemmeno per sogno.»

«Si può sapìri pirchì?»

«Certamente. Io, d'abitudine, le ispezioni le decido la sera avanti. E non comunico a nessuno la mia destinazione. Se qualcuno ne venisse a conoscenza potrebbe, sia pure incautamente, lasciarsi sfuggire qualche informazione con estranei. E allora addio sorpresa.»

«Quindi mi pare di capire che noi non conosceremo in precedenza indove che le passerà per la testa d'andare?»

«Ha capito benissimo.»

Il delegato fece una smorfia.

«E pacienza. Se una sira non torna a casa, la verremo a cercare in qualche vallone.»

Il segaligno scoppiò a ridere continuando a pulirsi i denti. Spampinato s'infilò nuovamente il dito nella nasca.

Evidentemente il colloquio era terminato. Giovanni uscì senza salutare.

«Gnazio» fece il delegato rivolto a so' frati. «Vai di corsa dall'avvocato Fasùlo e digli che l'ispettori non si mangiò l'esca. E digli macari che mi scusasse con don Cocò: io il possibile feci.»

Dopo aver parlato col sensale ch'era venuto ad accordarsi per il trasloco della mattina seguente, Giovanni mangiò in albergo. Triglie freschissime della vicina Vigàta. E siccome era uomo con il gusto della forchetta, il malumore per l'incontro avuto col delegato gli passò del tutto. Se ne salì nella sua stanza, si spogliò, si lavò, aprì la valigia dove teneva la camicia da notte. A letto, gli tornarono in mente i tre giovanetti della strada. Si alzò, ripescò dalla tasca, che c'era nella fodera della valigia, una lettera. Gliela aveva spedita, il mese passato, il suo amico Gigi Piràn che aveva lavorato un anno intero a Montelusa come impiegato della Prefettura. Era una lunga lettera che Giovanni s'era portato appresso come una specie di guida per come comportarsi.

"I molti sfaccendati della città vanno intanto su e giù, sempre d'un passo, cascanti di noia, con l'automatismo dei dementi, su e giù per la strada maestra, l'unica piana del paese, dal bel nome greco, via Atenea, ma angusta come le altre e tortuosa."

Era stracco per il viaggio e per la giornata trascorsa all'Intendenza. Spense il lume e si dispose a dormire.

Si-donna Romilda Brucculeri, appena che la cammarèra Catarina le contò quello che le aveva contato so' matre Pippineddra a proposito delle visite matutine di donna Trisìna nella sacristìa, divintò di colpo giarna giarna come una morta e s'inserrò nella càmmara da letto sbattendo accussì forte la porta che un pezzo d'intonaco se ne cadì. Perciò il cavaleri so' marito, tornato a la casa per la mangiatina serale, non vide in cucina la leggittima.

«Dov'è la signura?» spiò a Catarina.

«Nella càmmara di dormìri.»

Trasì. So' mogliere stava stinnicchiata sul letto col lume astutato.

«Che hai, Romildù?»

«Nenti. Tanticchia di malo di testa.»

«Non ci vieni a mangiare?»

«No. Non ho pititto.»

Il cavaleri mangiò solo. Catarina sapeva come si stava in cucina e l'omo volle ringraziarla passandole adascio una mano sulle natiche accussì dure che parevano pietre ferrigne. Come le minne, del resto. La picciotta gli fece un sorriseddro.

«Domani a matino quanno la signura va a missa?» spiò spiranzoso il cavaleri.

«Comu voli voscenza.»

Il patto era fatto. Il cavaleri trasì nel cammarìno di còmmodo, si puliziò come uno sposino novello, s'infilò dintra al letto. Era sabato sira e perciò gli attoccava la facenna coniugale. Risentì sul palmo della mano la durezza delle natiche della cammarèra, immaginò quello che avrebbero fatto la matina appresso mentre la si-donna ascutava la messa. Se lo sentì armato. So' mogliere, che intanto si era spogliata e messa sotto le linzòla, gli voltava le spalle. Allungò una mano, la posò sopra il fianco prosperoso della fìmmina.

«Che fai, Romildù, dormi?»

«Sì.»

«Non me la dai una vasateddra?»

«Ti dissi che ho malo di testa, non mi smurritiàre.»

Il cavaleri ritirò la mano. Pacienza, tutto sparagno a favore della criata Catarina.

Don Memè Moro, doppo l'arraggiatura pigliatasi in Tribunale davanti alla sintenzia che lo sposessava di un altro pezzo di terra a favore del parrino Carnazza, a mezzojorno non aveva toccato mangiare. Stava assittato con gli occhi sbarracati e non rispondeva alla mogliere che gli spiava prioccupata. Di primo doppopranzo andò a intanarsi nella casa di campagna del fondo Pircoco che ancora momentaneamente gli apparteneva, perché era pronto a giocarsi i cabasisi che il lodo arbitrale sarebbe per lui finito a feto. Per sfogarsi tanticchia dal nirbùso, scocciò dalla sacchetta il revòrbaro che si portava sempre appresso e sparò, nell'ordine, a un àrbolo, a una lucertola, a un passero, a una petra, a un secchio arrugginito, a un cane di passaggio. Sbagliò l'àrbolo, la lucertola, il passero, la petra, il secchio arrugginito, il cane di passaggio. Allora niscì letteralmente pazzo di testa. Fece una vociata che parse un lupo affamato, saltò in aria una decina di volte, sputò in alto e ci mise la faccia sotto in modo che la sputazzata lo pigliasse in pieno, si pisciò addosso, si mise a chiàngiri e chiangènno chiangènno alla disperata si portò la canna del revòrbaro alla tempia e tirò il grilletto. Clic. Prima di cadìri sbinùto in terra per lo scanto, ebbe il tempo di pinsari che il caricatore teneva solamente sei colpi. Tornò a la casa verso le otto di sira che faceva spavento, i capiddri ritti, gli occhi sempre più spiritati, un trimolìo convulso che lo scoteva tutto. La mogliere gli toccò la fronte e ritirò di prescia la mano: minimo minimo so' marito aveva quaranta di febbre.

Nel suo letto all'albergo Gellia, Giovanni smaniava in preda a un incubo, un peson ch'o l'impiva de poïa, da fâ vegnî di resäti. Stava drento à un moin, ma dentro a quel mulino no gh'ëa nisciun. Si era messo à ciammâ, ma no ghe dava a mente nisciun. O l'è intròu inte 'n stansion grande comme tutto, che no gh'ëa ninte, manco un sacco veuo. Inte 'n canto gh'ëa giusto un muggio de fænn-a. Era farina sporca, comme impastâ de päta, tòsto neigra. A pòrta a se gh'è serrâ derrê le spalle. O l'à çercòu d'arvila à son de scrolloin. Ninte. Quand'o l'à ammiòu torna into stansion, o s'è adæto che o muggio de fænn-a o montava e o montava, o piggiava comme unna forma curiosa, cian cianin o se cangiava inte 'na täncoa, un ragno smisurato che cian cianin o ghe vegniva vixin. Con le spalle al muro, o l'à visto che quella bestiussa a ghe vegniva d'arrente, coscì vixin ch'a ghe toccava squæxi a faccia co-e sò sampe pelose. I euggi de quello bestia ëan euggi da òmmo, e l'ammiàvan pin de compascion.

«Mischineddru!» o gh'à dïto l'ägno.

O s'è addesciòu scöo de suô, o cheu ch'o ghe piccava fòrte nel petto.

Cös'o voeiva dî?

Domenica 2 settembre 1877

Il sensale, come avevano concordato, l'andò a pigliare all'albergo che ancora faceva uno scuro che si poteva tagliare a fette. Con l'aiuto di due facchini, caricarono sulla carrozza il baule e le tre valigie e partirono verso Vigàta dove il sensale gli aveva fatto prendere in affitto la casetta sul mare.

«Mi scusasse la dimanda, signor ispettori, ma a vossia ci conviene abitare a Vigàta quanno che il suo officio lo tiene a Montelusa?»

«Mi piace avere il mare vicino, sentirlo. A proposito di spostamenti, m'ha trovato un buon cavallo?»

«Bonu? Bajardo, pare.»

«Lo troverò giù a casa?»

«Nonsi. Glielo farà portare oggi a doppopranzo la patrona, che poi è l'istessa che ci affitta la casa. Donna Trisìna Cìcero si chiama. Vìdova è, so' marito ci lassò ogni beni di Dio.»

Giovanni pensò di non aver capito.

«Avete detto che è una vedova ricca?»

«I dinari certo ca non ci mancano.»

«Se è così ricca, perché affitta case?»

«Pirchì accussì addiventa cchiù ricca.»

Non faceva una piega, la spiegazione filava.

"Nelle campagne e nei paesi della provincia" aveva scritto nella sua lettia Gigi Piràn "i reati di sangue, aperti o per mandato, per risse improvvise o per vendette meditate, e le grassazioni e l'abigeato, e i sequestri di persona sono continui e innumerevoli, frutto della miseria, della selvaggia ignoranza, dell'asprezza delle fatiche che abbrutiscono, delle vaste solitudini arse, brulle e malguardate."

Solitudini arse e brulle? Dopo manco dieci minuti di viaggio, il cocchiere aveva dato strada a una carrozza sfarzosa.

«È quella dell'onorevole Casuccio» aveva spiegato il sensale.

Subito dopo, ne avevano incontrate tante altre nei due sensi. E poi carretti dipinti con sopra famiglie vestite a festa. E ancora uomini su cavalli, asini, muli. La carrozza scendeva verso il mare tra mandorli, vigne, boschi d'olivo saraceno. Ad ogni modo, Giovanni rinviò il giudizio: non conosceva né un paese né la campagna dell'interno.

«Questo posto che stiamo passando si chiama Villameta. A mancina c'è la villa dell'avvocato Fasùlo.»

Fasùlo? Lo stesso ch'era entrato nell'officio di Bendicò?

Dopo cinque minuti di silenzio, il sensale parlò di nuovo.

«Ora a dritta si vede la casa del barone Trifirò.»

Ancora cinque minuti di silenzio.

«Sempri a dritta, la villa del marchisi Torrenova.»

Dieci minuti di silenzio.

«A mancina la bella villa di don Cocò Afflitto.»

Cocò Afflitto? Non era quello che aveva cercato d'offrirgli il desinare?

Passarono sopra un piccolo ponte. Sotto, il greto era completamente asciutto.

«E questo è il Càvusu, siamo già in territorio di Vigàta. Ora subito giriamo e c'è la so' casa.»

La carrozza svoltò. L'äia, pinn-a d'arzillo, a gh'à allargòu o cheu.

«Dominovobisco.»

«Etticummu spiri totò.»

«Itivìnni, la missa è.»

I parrocciani, la domìnica più numerosi delle altre jornate, principiarono a susìrisi. Donna Trisìna tossì due volte, che veniva a significare: "a momenti arrivo". Patre Carnazza, a mezza strata tra l'altare maggiore e la porta della sacristìa, venne a sua volta pigliato da una gran botta di tosse. Donna Trisìna per un momento s'imparpagliò: che discorso era quella tossicoliàta? Valeva come risposta alla sua tossitina? Ma datosi che tra di loro non c'era stata intesa su uno scangio di colpi di tosse, la fìmmina si rassicurò, forse al parrino era andata qualichi cosa di traverso o gli stava venendo una 'nfruenza, una frussione. Non sapeva che la tussitina di patre Carnazza era un signale rivolto a si-donna Romilda, sicuramente presente in chiesa come tutte le domìniche, e che significava: "Romilda, non venire a trovarmi, c'è qualiche difficortà". Si-donna Romilda, a sentìri la tussuta, invece arraggiò: da quinnici jorna quel gran cornuto di parrino l'aveva tenuta lontana per godersi in pace la nova buttana. E lei ci aveva criduto al fatto che c'era impedimento. Ma ora che la criata Catarina le aveva contato come stavano le cose, era decisa che al parrino non gliela avrebbe fatta passare liscia. Niscì dalla chiesa con le altre pirsòne e fece in modo di mettersi a parlare, propio davanti al portone, con donna Filippa La Lumìa, spiandole come andava il suo dolore d'anca. Appena veniva toccata su quest'argomento, donna Filippa era capace di recitare un monoloco minimo minimo di una mezzorata. Mentre donna Filippa le teneva la sua lezione di notomìa sull'anca, si-donna Romilda non scansava l'occhio dalla porta della chiesa. Doppo un quarto d'ora, si-donna Romilda arrisolse: lassata in trìdici donna Filippa, ritrasì in chiesa. Sicuramente li avrebbe pigliati, il parrino e la tappinàra, mentre facevano la cosa.

La cosa, invece, il di lei marito cavaleri Brucculeri l'aveva già fatta. Appena sentita la porta chiudersi darrè la mogliere che se ne andava alla missa, il cavaleri si era precipitato nel cammarìno senza finestra allato alla cucina indovi che ci dormiva la cammarèra Catarina, una sidicìna che aveva il sonno piombigno. Trasùto allo scuro fitto, l'aveva assugliato al naso l'odore di coniglio sarvatico che la picciotta faceva, un odore che al cavaleri gli portava benefico effetto propio in quella parte del corpo che tra poco sarebbe entrata in òpira. Addrumò una candela.

«Catarì?»

«Uuuummmm?» fece la criata.

Stava tra sonno e veglia, intordonuta, come piaceva a lui. Isò il linzòlo e subito parse che una famiglia di conigli sarvatici ci avesse fatto la tana. Afferrò Catarina per i pedi, la tirò a mezzo del letto, e, mentre lei cadeva da tutte le parti come una pupa di pezza, le sfilò la cammisa di notte, la rimise stinicchiata, le allargò le gambe, trasì, sburrò.

«Uuuummmm?» fece la cammarèra.

Il cavaleri Brucculeri, con il fiato affannato, stava a panza all'aria, sintendosi a un tempo orgoglioso e morto per la faticata che aveva fatta. Catarina gli voltò la schina, la camurrìa dominicale era finita. Prima di cadìri novamente nel sonno, pinsò a so' frati Aitàno ch'era stato il primo vero omo che aveva canosciuto quanno aveva dodici anni e che ancora continuava a canoscere quanno che se ne appresentava l'occasioni. Quello, Aitàno, era capace di mettere il chiavino nella toppa alla prima luce d'alba e di tirarlo fora che già faceva notte, senza manco darle il tempo di mangiare un boccone di pane.

Si capì subito che la trattativa sarebbe stata longa assà. Patre Carnazza con la vistaglia arriccamata e donna Trisìna stavano compostamente assittati ognuno sopra una seggia torno torno il tavolino della càmmara di mangiari. La proposta del parrino era stata che la fìmmina si facesse taliàre tutta nuda.

«Taliàre solamente?»

«Orbo di l'occhi e morìri ammazzato!» giurò patre Carnazza.

Trisìna lo taliò dubitosa.

«E se mentre io sono nuda vossia invece di taliàre solamente si mette a fare? Io manco posso scappare, gnuda come mi trovo.»

Ci misero una decina di minuti per trovare un accordo. Trisìna sarebbe rimasta vistùta: si sarebbe solamente calate le mutanne fino a terra, avrebbe sollevato fino a sopra la panza gonna, sottogonna e fodetta e in piedi, senza stinnicchiarsi sul letto, si sarebbe fatta taliàre con commodo.

«Va bene, come vuoi tu» sospirò il parrino.

«E io che ci guadagno?»

«Un paio di linzòli novi novi.»

«D'accordo.»

«E ti fai taliàre davanti e darrè.»

«Nonsi, darrè no. Se vossia mi vole taliàre davanti e darrè mi deve rigalare un altro paro di linzòli.»

«Va bene.»

«Prima pigliasse i linzòli.»

Il parrino andò nella càmmara di letto, raprì un grande armuàr, pigliò due para di linzòli con le iniziali AC intrecciate, tornò, li posò sul tavolino.

«Ora andiamocene in càmmara di letto.»

«Nonsi. E che bisogno c'è? Taliàre per taliàre, la cosa si pò fare qua.»

«Però io ti devo taliàre mentre ti levi le mutanne. E le devi calare adascio adascio.»

Taliàndolo occhi negli occhi, Trisìna si susì, si sollevò la gonna, la sottogonna, la fodetta e in quel preciso momento la scala di legno fece distintamente crac. Aggelarono; qualichiduno stava acchianando. Trisìna lasciò ricadere i vestimenti e s'assittò.

Crac crac craaaaac fece la scala.

«La quistioni che m'avete appena detto» attaccò a parlare a voce alta patre Carnazza «è cosa delicata assà, donna Trisìna.»

Crac craaaac.

«Talimente delicata che forse è bene che ne faccio cògnito a sua cillenza il vìscovo» fece il parrino continuando nel suo tiatro. Ma chi minchia era che stava acchianando la scala?

La porta del quartino si spalancò di botto e apparse sidonna Romilda. A vidìri i due che chiacchiariavano, la sua faccia, da rossa che era, cangiò colore, addiventò viola. Sicuramente l'avevano sentita e si erano messi a fare la farsa. Cornuta e bastoniàta, era.

«Bongiorno, si-donna Romilda» fece fresco e sirèno quell'anima dannata del parrino, atteggiando la faccia a surprìsa.

Trisìna, la grannissima cajorda, invece si susì in segno di rispetto, facendo una calata di testa come saluto.

«S'assittasse, si-donna Romilda, tanto io ho finito» disse cirimoniòsa.

Con uno sforzo che le costò qualichi anno di vita, si-donna Romilda controllò miracolosamente il nirbùso che invece la spingeva a fare peggio dei mori al tempo di Carlo di Francia.

«No, no, torno un'altra volta» disse «tanto era una cosa senza importanzia. Bona jornata.»

Girò le spalle, niscì. Craun craaauuuun fece la scala: ora che non c'era bisogno di cautela, la fimmina la scendeva che pareva un cavaddro.

Come se niente fosse capitato, Trisìna si susì lenta lenta e principiò a isarsi la gonna.

A prima vista, la casa fece simpatia a Giovanni. Ci si arrivava, lasciata la provinciale, da una strada di campagna, stretta tra due muri impennacchiati da macchie di capperi e di saggina, piante di ficodindia, agavi, che finiva sull'orlo di un dirupo sotto il quale si stendeva la rena d'oro e s'allargava il mare turchino. A-a drïta, un pittin primma do derrùo, gh'ëa 'na cioenda de ramme d'ærboo, un cancello rustico ch'a dava in sce 'n sentê ch'o portava da-a cà di tufo, venata da-o gianco da cäçinn-a. Pòrte e giöxïe ëan tente de verde. La casa a l'ëa comme 'na Te rovesciata, træ stansie de de sotta e unna de d'äto a' quella into mëzo, ch'a l'ëa grande, unna bella sala manxé: inte 'n canto gh'ëa dòi fornelli. Gh'ëa 'na töa, quattro careghe impaggettae, un buffê con di tondi, gòtti, forçinn-e, tutto lustro, bello netto.

Dalla camera da pranzo, ch'a piggiava a luxe da 'n barconetto e da-a pòrta de cà, partiva unna scâ ch'a portava de d'äto, donde gh'ëa un letto à doe ciasse con due comodini co-a lummëta, doe careghe de legno e un bello armadio co-o spegio. E straponte de lann-a ëan belle nette e l'aivan arrotolate sulle tavole do letto. O Giovanni o l'à averto l'armäio: drento c'erano le federe, ma mancavano i lenseu. Paçiensa, l'indoman o l'aviæ accattae. A stansia a l'aiva dòi barcoin, un da-a parte do mâ e l'ätro o dava in sciâ campagna. C'era anche un posto di comodo inte 'n bordigòtto co-o catruccio pe-i beseugni, o baçî da lavâse, un stagnon pin d'ægua, un barconetto riondo pe l'äia. L'ëa tutto bello netto.

A sala manxé a-o cian de sotta a dava inta stansia a-a man brutta pe 'na pòrta piccinn-a. A vegniva ben se gh'ëa da dâ da dormî à 'n paente ò à 'n amigo: un lettin, un comodino co-a lummëta, doe careghe, un armäio streito. O l'à averto: era vuoto. Pe quella neutte ghe toccava dormî sensa lenseu.

Da-a stansia a-a drita de cian terren no se poeiva passâ in câ. A l'aiva unna pòrta pe conto sò, erta e larga. A l'ëa unna stalla ch'a poeiva tegnî finn-a dòi cavalli e unna carròssa. Paggia e fen ëan a-o sò pòsto.

Intorno alla casa, amàndoe, peie, bricòccali. E ascì quattro fiagni. D'accòsto a-a pòrta, de macce de giäsemin.

O l'à passòu a mattin à veuâ o bæulo e e valixe, à dâ recatto à tutto. Lasciò sulla tavola le carte ch'o l'aiva piggiòu inte l'offiçio do Bendicò. Pensava di **guar**darle meglio verso seia, lummëte e candeie no gh'ammancàvan de segùo.

Il cavaleri Brucculeri, che ogni domìnica matina la passava al circolo "Patria, Famiglia & Progresso", a mezzojorno e mezzo tornò a casa per mangiare. La tavola era conzàta, ma si-donna Romilda non si vedeva. Forse stava in cucina, dove sentiva Catarina canticchiare. Ci andò.

«Calo la pasta?» spiò la criata.

Aveva gli occhi sparluccicanti, pareva allegra.

"Si vede che la ficcata di stamatina le ha fatto bene" pinsò, glorioso, il cavaleri.

«La signora tornò?»

«Sissi.»

«E dov'è?»

«Nella càmmara di dormìri. Dice ca non si senti bona.»

"E che ci pigliò, a sta santa fìmmina?" spiò a se stesso il cavaleri. In genere il malo di testa a so' mogliere ci veniva quanno si trattava di fare l'obbligo coniugali.

Niscì dalla cucina e Catarina ripigliò a cantare. Era felice nel sapere che la patrona era doppiamente cornuta: una volta per parte di marito e una volta per parte d'amante.

La càmmara di dormìri aveva le persiane inserrate.

«Come ti senti, Romildù?»

Dal letto, al posto di una risposta, gli arrivarono singhiozzi e tirate di mòccaro col naso.

«Posso fare tanticchia di luce?»

«No!» gridò si-donna Romilda.

«Si può sapere che hai?» spiò il cavaleri assittandosi sul bordo del letto con un sospiro. Chiaramente la cosa sarebbe stata longa e stufficante, meno male che non aveva fatto calare la pasta.

«M'affrunto! Matruzza santa, quanto mi vrigogno!»

Si vergognava? E che poteva esserle capitato? Romilda aveva un bel pirsonàle, capace che qualche picciottazzo di strada, vedendola passare, le aveva detto una vastasata. So' mogliere era accussì sdilicata, accussì sensibbile!

«Con tuo marito non ti devi affruntare, non ti devi vrigognare.»

«Mi capitò una cosa tirribili, Lollò!»

"Lollò" era il nome da letto del cavaleri, quello che sidonna Romilda sussurrava facendosi abbrazzare doppo avere astutato il lume.

«Avanti, parla.»

«Tirribili tirribili, Lollò.»

«E tu dimmela l'istesso.»

«Stamatina, finita la santa messa, patre Carnazza, mentre che stava trasendo in sacristìa, venne pigliato da una gran botta di tosse. Io volevo andargli a spiare subito se gli era venuta la 'nfruenza e se gli abbisognava qualichi cosa, ma mi fermò donna Filippa La Lumìa e si mise a parlàrimi dei so' dolori d'anca. Finalimente m'alliberò e io trasii in sacristìa. Il parrino non c'era. Allora lo chiamai dal piede della scala che porta al suo quartino, ma non rispose. Mi preoccupai, acchianai. Nella càmmara di mangiari non c'era. Trasìi nella càmmara di dormìri... Oddio oddio oddio comu m'affrunto! Una vampa di foco sono! Oddio oddio che tormento!»

«Romildù, non fare accussì.»

«La porta della càmmara si chiuse. Mi voltai, pinsando a un colpo di vento, una corrente d'aria, una cosa accussì... Patre Carnazza si era ammucciato darrè la porta, ecco perché non l'avevo visto, e ora mi stava davanti nudo... Oddioddioddioddioddio!»

Il cavaleri balzò dal letto con un salto tale che a momenti si spaccava le corna contro il soffitto.

«Quest'offisa ti fece?»

«Peggiu, Lollò, peggiu!»

«Peggiu?!»

«Sì, Lollò! Nell'arma, m'offise, nell'arma!»

«Lassa fottere l'anima, Romilda! E dammi risposta precisa: ci riniscì? Ci riniscì questo gran fetente di parrino a farti la cosa? Eh? Ci riniscì?»

Un pianto dirotto fu la risposta.

Passato mezzogiorno, Giovanni cominciò a sentire appetito. Anzi no: fame. O l'aiva da fâ à pê i dòi chilòmetri scarsci che mancavano pe arrivâ à Vigàta: de segùo che lì gh'ëa un'osteria. Arrivòu sull'orlo do derrùo, o l'àmmiòu ben e o l'à trovòu comme un sentiero di capre ch'o lasciava chinâ in sciâ ciazza, sciben che no l'ëa guæi fàçile. Intanto ch'o chinava de pe-a costëa, ciù de 'na votta gh'è toccòu attaccâse a-i costi de brugo che ghe taggiàvan o parmo e e dïe da man.

Ghe sccioiva sangue. Comm'o l'è stæto arrivòu sulla riva del mare, o s'è levòu e scarpe e e càsette, o l'à misso i pê à bagno, o l'à infiòu e moæn inte l'ægua pe stagnâ o sangue ch'o gh'aiva finn-a bruttòu un pittin a camixa.

O s'è misso à camminâ avviòu verso o paise dond'o l'ëa nasciùo e dond'o no l'ëa mai ciù vegnùo. Ma o no se sentiva emozionato. L'äia do mâ a ghe metteiva e äe.

Gigi Piràn gli aveva scritto:

"A Montelusa i pubblici uffici, Prefettura, Intendenza

di Finanza, scuole governative, tribunali, danno ancora un po' di movimento, ma quasi meccanico, alla città: altrove, ormai, urge la vita. L'industria, il commercio, la vera attività insomma, s'è da un pezzo trasferita a Vigàta gialla di zolfo, bianca di marna, polverulenta e rumorosa, in poco tempo divenuta uno de' più affollati e affaccendati emporii dell'isola."

Comm'o l'è stæto da-o pòrto, o s'è lasciòu tiâ da-a memöia. Conosceva il paese senza averlo mai visto; sò poæ e so moæ, à Zena, ghe ne parlàvan de longo. Quande o l'aiva perso i sò, à dex'anni, o n'aiva sentïo ancon parlâ da-o fræ de sò poæ, lo zio Ciccio e sua moglie, a lalla Giovanna, che era stata come una madre. O s'è assettòu in sce 'na bitta. Pe-i coî, o paise o l'êa comme gh'aiva dito l'amigo Piràn, ma l'êa de doménega, e speronare se ne stàvan co-e veie basse, no gh'êa quello vanni e vegni de òmmi, de gossi, de carretti, no se sentiva e giastemme e i braggi che accompagnàvan de longo o càrego do sòrfano.

Quarche baransella, nisciun bragosso co-e veie pinn-e de coî. Dòi pescoei dàvan recatto a-e ræ, un di dòi o stava co-a schenn-a arrembâ à unna doggia, un mainâ o l'assuccava unna çimma.

Chiuse per un attimo gli occhi, li riaprì, guardò nuovamente la scena e a mezza voce gli venne di ripetere quello che stava vedendo, ma con altre improvvise parole, altri suoni:

"Quarchi caiccu, nenti rizzi viliàri cu li veli culurati. Du' piscatura cusìvanu 'na riti, unu de' du' s'appujava cu i spaddri a una corda 'nturciuniàta, un marinaru attisava 'na cima."

Che gli stava capitando? Era l'emozione esplosa all'improvviso a fargli recuperare il suo dialetto perduto contro il genovese e l'italiano?

Giusto lì da-o meu gh'ëa unn'ostaia brutta de fumme e de gente. Un camê, maniman o padron in personn-a, o gh'è vegnùo da-a töa.

«Vorriæ unna lengua.»

«Eh?» fece il cameriere.

Giovanni si rese conto d'aver parlato in genovese. O l'ëa invexendòu.

«Portatemi 'na linguata» disse in siciliano.

A lengua che gh'an servio da lì à 'n pittin a l'ëa bella fresca, stramesuâ.

Ancora domenica 2 settembre 1877

Visto e considerato che à quattröe e mëza de doppodi-snâ del cavallo promesso non si vedeva manco l'ùmmira (ombra si diceva proprio così?), Giovanni indossò e bra-ghette, lasciandosi però le scarpe, chiuse la porta di casa, rifece la discesa do derrùo (sdirrupu? sbalancu?), stavolta però riuscì a non tagliarsi le mani, e andò a stendersi sulla rena. A un certo punto, senza rendersene conto, s'appen-nicò. Quande o mâ o l'arrivava longo in sciô bagnasciuga, de vòtte o ghe fäva quell'effetto lì.

Si svegliò di soprassalto. Qualcuno, dall'alto, gli stava tirando pietruzze. Sentì una voce, ma o n'à accapïo ninte.

«Abbossìa! Abbossìa!»

Si alzò, guardò. Contra o çê, drïto sull'orlo del dirupo, gh'ëa un figgeu ch'o mesciàva e brasse pe fâse vedde.

«Che c'è?» gridò Giovanni.

«U cavaddru ci portai! Acchianasse!»

Acchianasse? Ah, sì, voleva che salisse. Quando fu a livello del ciglio dello sbalancu, il ragazzo, che aveva sì e no una quindicina d'anni, o s'è levòu a berretta (ecco: còppu-la) pe fâghe un atto de rëspeto.

«Michilinu mi chiamu.»

Fuori del cancelletto c'era una carrozza chiusa. Il cavallo invece era legato a un albero vicino alla porta, già sella-to. O gh'è pasciùo un animâ fin e drüo. O se gh'è fæto vixin pe dâghe unna cæzza, ma o cavallo o s'è tioù inderrê. Giovanni restò con la mano a mezz'aria. O cavallo o l'ammiava fisso e Giovanni, immobile, si lasciava guardare, un poco impacciato. Dappeu o bestia o s'è fæto avanti cian cianin fin a fâ baxâ a man co-o sò collo.

«Mi pare proprio un bell'animale.»

«Beddru? In tutta la terra di Sicilia non ci nn'è unu eguali! E voscenza ci pò macari parlari pirchì iddru tuttu capisci! Megliu di un cristianu è!»

«Come si chiama?»

«Stiddruzzu.»

Il dialetto ancora non era stato completamente ritrovato, c'erano parole delle quali gli mancava il significato. Dovette fare uno sforzo per capire.

«Stellino?»

«Sissi, accussì. Per via della macchia a forma di stiddra ca teni nella fronti.»

Giovanni montò. A sella a l'andava ben, ma gh'ëa da regolâ e staffe. O se gh'è sentio ben. O l'ëa lì ch'o chinava, quande, inte 'n momento, con un bello schitto, Michilinu o gh'è montòu derrê.

«Che fai?»

«Cacciasse verso la carrozza.»

Cacciasse? Perché o voeiva ch'o l'andesse a caccia verso a carròssa? Michilinu capì che il forestèri non aveva capito.

«Voscenza s'avviasse verso la carrozza.»

«Perché?»

«Pirchì la signura mi fici 'nzinga d'avvicinarci.»

A scignöa? Gh'ëa unna dònna inta carrossa? A o Giovanni gh'è vegnùo i lampi de cädo da-a vergheugna. L'ëa un muggio de tempo che una scignöa o l'ammiava intanto che l'ê o l'ëa squæsci nùo, solo co-e braghette. Perfino sulla spiaggia di Rimini negli stabilimenti balneari esistevano dei portelloni che separavano i maschi dalle femmine e ne impedivano la reciproca vista! Pensâ in Siçilia! Mancomâ che a scignöa a l'ëa vìdoa, perché, à sentî quello che dïvan di siçiliæn, s'a l'aïva mai o maio, quello o ghe tiava 'na sccioppettâ de segùo pe vendicâ l'offeisa e pe lavâ a maccia de l'onô. Si buttò giù dal cavallo, aprì la porta, entrò in casa, si fece la scala di corsa, si precipitò nella camera da letto, si levò il costume, si rivestì febbrilmente di tutto punto, scese di prescia, uscì.

E per poco non andò a sbattere contro la vedova che, scesa dalla carrozza, ora stava seduta, vicinissima alla porta, su una sedia che Michilinu evidentemente aveva preso dalla camera da pranzo.

Chi sa mai perché, o Giovanni a sò patronn-a de cà o se l'ëa imaginâ comme unna sciarbella, unna scarpa vegia desformâ da-i anni.

A sciâ Trisìna Cìcero incangio a l'ëa zovena e belliscima, euggi ciaei e fondi, i lapri rosci comme unna sciamma de feugo, a pelle ciù gianca da zoncâ. O neigro do vestî o no l'arriesciva à asconde e sò forme, ansi a-o conträio. Òua o pensava solo in zeneise, a lengua de quande da zoëno o s'invexendava pe-e dònne.

O saiva ben de ëse ommo de pöca fantaxia, ma ghe bastòu véddila un momento pe imaginâsela nua in sciô lenseu desfæto…

O l'è vegnùo rosso, se gh'inversava o trippin, mai aveva avuto un pensiero così. Donna Trisìna invece lo taliàva ferma, considerandolo. Propio come il cavallo prima di farsi carezzare.

«La prego di scusarmi per poco fa, signora.»

«E che fece lei, poco fa?»

«Mah... non sapevo che c'era... che sarebbe venuta lei stessa...»

La fimmina continuava a taliàrlo con un surriseddru. Sotto il costume da bagno, donna Trisìna gli aveva visto una musculatura digna di quella del cavaddru. Mai aveva incontrato un omo che a prima vista gli faceva accussì sangue.

«La mia venuta ci dette fastiddio?»

«Ma no! Che dice mai! Questa del resto è casa sua.»

«Ci piace?»

«È comoda, accogliente...»

Dio! Che euggi aveva!

«Macari a mia mi piaceva. Quanno mio maritu bonarma non aveva chi fare, ce ne scendevamo qua da Montelusa e ce ne stavamo in santa paci.»

L'è stæto 'n lampo. O Giovanni o l'à vista nùa in scî lenseu desfæti, lustra de suô, o respïo gròsso de chi à finïo de fâ l'amô.

Donna Trisìna tirò un sospiro longo: sapeva benissimo di quanti centimetri si sarebbe sollevata la pettorina.

«Eh!» o l'à fæto o Giovanni, ch'o no saveiva cöse dî.

A vìdoa a gh'a fæto un fattoriso. A melanconìa a doveiva ësighe passâ.

«Le ammanca nenti?»

"Tu" gh'è vegnùo da dî co-o penscëo a-o Giovanni. Con tutto ch'o se gh'approvava, o no riesciva a levarsi dalla vista lei, nuda sui...

«... linzòli?» gh'à domandòu a vìdoa.

Una mazzata. Giovanni barcollò. Quella donna era capace di leggergli nel pensiero!

«Mi... mi... scu... si... io...»

«Ma pirchì si scusa? La corpa è tutta mia che non le feci attrovare in casa i linzòli del letto.»

L'ëa vëa, mancava i lenseu. Giovanni si rilassò, ma continuò a sudare: l'euggiâ da dònna a ghe fäva boggî o sangue.

«Michilinu è darrè 'a casina. Gli sto facendo cògliri un panaro di frutti per lei.»

Bello segnô cäo! Tutti e dòi, nùi in scî lenseu, lê ch'a monda un figo meuio…

«Un panaro chinu chinu ne pigliai!» fece Michilinu arrivando.

«Gliene faccio pigliari ancora?»

«Basta così, grazie, signora. Casomai andrò a coglierla io.»

«E lei canosce quand'è il momento di coglierla?»

E na, sacranon! A domanda a no l'ëa miga sensa intension come voleva lasciar credere! Tanto ciù che i sò lapri, doe braxe, s'ëan allargæ un pittin inte in fattoriso d'alluxon.

«Michilinu!» chiamò donna Trisìna a voce alta, e a o Giovanni, ch'o l'ëa perso inta sò vixon, gh'è vegnùo un resáto.

Michilinu apparve sulla porta, era andato a portare il paniere in casa.

«Vai nella carrozza, c'è un pacco con du' para di linzòli. Portali ccà.»

Mentre Michilinu s'allontanava, donna Trisìna disse lenta lenta:

«Sono du' para di linzòli novi novi.»

Fece un pinsèro: c'erano arriccamate le iniziali di patre Carnazza, le stesse però di quelle di so' marito.

«Li aveva fatti fare il pòviro marituzzo mio! Li avevo pigliati stamatina pirchì li volevo portari in un'altra casa che ho. Ma forsi ci fanno cchiù commodo a lei.»

«Grazie, signora, non si disturbi.»

«Lei maritato è?»

«No. E nemmeno fidanzato, se è per questo.»

Ghe vegniva spontanio, con lê, contâghe i fæti sò.

«Lei di dov'è, mi scusasse?»

«Sono nato proprio qui, a Vigàta.»

«Daveru?!»

«Sì, ma a tre mesi mi hanno portato a Genova dove sono cresciuto, ho studiato, ho…»

«So' patre e so' matre stanno a Genova?»

«Sono morti che io ero piccolo. Sono stato allevato da una mia zia.»

«Mischineddru!»

Gli lanciò, come una carezza, un'occhiata di compassione. O Giovanni o l'à sentïo un rigô de freido inta schenn-a: â mæxima pòula lo stesso sguardo del ragno into seunno da neutte avanti.

Arrivò di corsa Michilinu. A vìdoa balzò sulla carega, a l'êa tosto grande comme lê, a l'à piggiòu o pacco co-e doe moæn, o l'à tegnùo un momento co-e brasse atteise in avanti e dappeu a ghe l'à dæto con unn'äia seria. A l'êa stæta comme unna çeimonia in scilensio.

«Bona sirata» a gh'à dïto a dònna quande a gh'à giòu a schenn-a pe andâ da-a carròssa.

O Giovanni, de longo co-o pacco inte moæn, o s'è repiggiòu un pittin, tanto che basta da fâghe o scoaccin.

Per tutta la nottata don Memè Moro non era arrinisciùto a chiudere occhio, si votava e si rivotava nel letto e sempre gli compariva davanti agli occhi la facciazza di patre Carnazza. Ancora ci volevano jorna e jorna per la risposta del lodo sul fondo Pircoco, ma lui era certo che il risultato sarebbe stato negativo, ci avrebbe messo la mano sul foco. Passò la matinata tambasiando casa casa, tutto quello che pigliava in mano gli cadeva 'n terra, gli era macari smorcato un distrubbo di panza, il nirbùso di certo, che l'obbligò a passare più tempo nel cammarino di còmmodo che nelle altra càmmare. Per andare nel retrè c'era un gradino: deci volte ci acchianò e deci volte truppicò. E ogni volta che c'inciampava ci dava macari un calcio. Finì che verso mezzojorno il piede gli si gonfiò facendolo diventare zoppo. Non mangiò. Alle tre di doppopranzo arrisbigliò a so' mogliere che stava facendosi una dormitina.

«Io nescio.»

«E dove vai, zoppichèro come sei?»

«In campagna.»

«Portati almeno un bastoni.»

Arrivato nella casa di campagna, don Memè trasì nella càmmara di dormìri, raprì il cascione del comodino e pigliò la scatola di càppisi per il revòrbaro che teneva in sacchetta oramà scarrico dal giorno avanti. C'erano ventiquattro cartucce, vale a dire quattro caricatori completi.

Scese nel bàglio e, mentre carricava l'arma, arrivò un vecchio che pasceva le sue capre nel fondo, un sittantìno che tutti chiamavano col solo cognome, Aliquò, e di cui si contava che in gioventù avesse avuto storie con la legge.

«Baciolemani» disse levandosi la coppola.

Don Memè manco gli rispose. Aliquò s'assittò sopra una seggia di paglia sfondata e posò allato a lui la bisazza, era curioso di vidìri che voleva fare don Memè col revòrbaro in mano.

Memè Moro piazzò un bùmmolo di creta, che serviva a tenere fresca l'acqua, sopra un muretto e doppo s'allontanò contando venticinque passi. Sparò il primo carricatore pigliando accuratamente la mira tra un colpo e l'altro: il bùmmolo restò intatto.

Don Memè, controllandosi, trasì nella casina, si bevve un altro bicchiere di vino bono, niscì, ricarricò il tamburo, contò venti passi, sparò. Il bùmmolo non si cataminò. Don Memè trasì nuovamente nella casina, si bevve un altro bicchiere di vino bono, niscì, ricarricò il tamburo, contò dieci passi, sparò. L'unico danno che fece fu d'ammazzare un gatto che se ne stava assittato sul muretto a una decina di metri dal bùmmolo.

Don Memè, che si sentiva tutto trimàre dintra, nervi, muscoli, cirivéddro, vene, sangue, tutto che gli tremava, s'accostò al pozzo, pigliò un cato pieno d'acqua, se lo rovesciò sulla testa assammarandosi, ricarricò, taliò il bersaglio.

Aveva un velo rosso davanti agli occhi. Quando il velo scomparse, il bùmmolo non era più un bùmmolo, ma il parrino Carnazza in pirsòna, i manici erano due braccia coi pugni sui fianchi. Urlò e sparò, i sei colpi parsero uno solo. Ma patre Carnazza restò vivo.

«Taliàsse ccà» fece Aliquò.

Armeggiò nella bisazza, cavò fora un pistolone longo mezzo metro e sparò, quasi senza mirare. Il bùmmolo esplose, pigliato in pieno.

«Vossia ci mette troppo impegno» disse Aliquò. «Non si spara col core, ma col cirivéddro. E il cirivéddro, meno càvudo è e meglio funziona. Se vossia mi permette, io c'imparo comu si fa.»

Macari il cavaleri Brucculeri s'arramazzò tutta la nottata senza pigliare sonno. Gli abbruciava l'offìsa fatta al suo onore, certo, però, a un certo momento, il nirbùso gli cominciò a crescere per un altro motivo e cioè che so' moglie-re, dopo che quel porco di parrino le aveva fatto patire quello che le aveva fatto patire, potesse dormìri fresca e sirèna, russando leggermente com'era solita fare. Come poteva? Valle a capìri li fìmmine! Alla prima luce dell'alba non ce la fece cchiù a restarsene corcàto. Si susì, si lavò, si vestì, niscì. A piedi, se ne scinnì fino alla valle dei templi e doppo se ne tornò a la casa che già si era fatta l'ora di mangiare. Quanno trasì, trovò si-donna Romilda assittata in tavola con la forchetta in mano e davanti a un piatto di spaghetti al ragù.

«Io non capiscio come fai a dormìri e a mangiari doppo quello che ti è capitato!» le disse a voce bassa, dato che in cucina c'era la cammarèra che stava friggendo le triglie di secondo.

«Eh!» fece la signora con un gran sospiro. «Mi devo dare forza! Non lo capisci? Mi serve energia! E tu che fai, mangi?»

«No.»

S'inserrò nello studio, pigliò, nell'ordine, l'*Orlando furioso*, il *Guerrino detto il Meschino*, e l'*Ettore Fieramosca*, andandosi a scegliere le pagine dove c'erano i più sanguinosi duelli. Rinforzato dalla lettura, alle sei di doppopranzo raprì il cascione di mancina della scrivania, pigliò il revòrbaro, controllò che fosse carrico, se lo mise nella sacchetta e niscì senza salutare Romilda. Oramà era deciso a vendicare l'onore offìso. Cominciò a passiare avanti e narrè sul marciapiede della chiesa, aspettando che la funzione finisse. La camurrìa era che era domìnica e c'era perciò passeggio: ogni cinque minuti doveva scappellarsi e inchinarsi ora per arrispondere a un saluto ora per salutare lui per primo qualiche pirsòna di rispetto. Quanno si fece pirsuaso che l'ultima parrocciana era nisciùta dalla chiesa, trasì deciso. La chiesa era deserta. Fece per dirigersi verso la sacristìa, ma si fermò di botto vedendo che patre Carnazza ne stava in quel momento niscendo. Il parrino arrivò ai piedi dell'altare maggiore, s'inginocchiò e cominciò a pregare a mani giunte. Il cavaleri gli si avvicinò, mettendosi tanticchia di lato per poterlo taliàre di profilo. Tirò fora dalla sacchetta il revòrbaro. Intanto patre Carnazza con una mano si era coperto la faccia e con l'altra aveva principiato a darsi gran pugni sul petto.

«Mea curpa! Mea curpa!»

Alla luce delle cannìle, il cavaleri vide che il parrino si era messo a chiàngiri e, tra i singhiozzi, mormoriava qualichi cosa. Il cavaleri, per sintìre meglio, fece un passo avanti.

«Pirdonami, Signori! Pirdona questa carne piccatrice!»

Possibile che uno sdisonorato, un farabutto come a quello fosse capace di pregare con tanta fede? Che fosse sinceramente pentito dei piccatazzi so'? Trubbàto, il cavaleri arretrò, rimettendosi l'arma in sacchetta. Come aveva fatto qualichi secolo narrè un principe di Danimarca (ma il cavaleri scanosceva la storia) venne alla conclusione che non si può ammazzare a uno mentre prega. Gli abbastarono quei venti passi per arrivare al portone e nèsciri fora per persuadersi di un'altra cosa e cioè che lui non era capace d'ammazzare a nisciuno, pregassi o no.

Ma di farlo ammazzare, questo sì che ne era capace.

Patre Carnazza tenne le orecchie appizzate fino a quando non sentì più i passi del cavaleri risonare dintra la chiesa. Niscendo dalla sacristìa, aveva raccanosciuto subito il marito di Romilda e ne aveva intuito la mala intinzione. Allora si era messo a fare il teatro della prighera e del pentimento, sperando che l'altro fosse tanto strunzo da credergli. Ma la facenna non poteva andare avanti accussì, se il signor ricevitore postale si era sentito prudere le corna una volta, la cosa poteva piricolosamente ripetersi. Bisognava metterci rimeddio.

I paesi della provincia che dipendevano dall'Intendenza di Montelusa erano trentacinque, rilevò Giovanni dalle carte di Bendicò, mentre i mulini erano un'ottantina e passa. Dall'ispettore capo di Montelusa dipendevano dieci sottoispettori tra i quali era stato spartito l'intero territorio. Bendicò aveva fatto un elenco dei suoi sottoispettori per ordine alfabetico e accanto a ogni nome aveva scritto dov'erano situati i mulini di competenza.

Nessun mulino da vento; l'ultimo, situato sulla rotabile Montelusa-Vigàta, era stato abbandonato da tempo. Nessun mulino d'acqua, già scarsi in origine per mancanza di corsi adeguati. Due mulini soli su ottanta e passa erano a vapore, tutti i restanti servivano alla bassa macinazione, a mole appaiate fatte funzionare da equini aggiogati. A Reggio Emilia e provincia se ne era quasi perduto il ricordo. Giovanni venne colto da una specie di ondata di malinconia, gli sembrò di essere spostato indietro nel tempo. Bendicò, tra le sue carte, aveva conservato anche un ritaglio del settimanale «La Concordia» che si stampava a Montelusa. Nell'articolo, molto polemico col Governo, si faceva la storia dell'imposta sul macinato: in particolare, si diceva che tutti i proprietari dei mulini d'acqua che in Sicilia avevano denunciato la cessazione d'attività, erano obbligati ancora a pagare la tassa d'esercizio.

Un vero e proprio sopruso. Avevano fatto ricorso all'Intendenza e l'Intendenza aveva a sua volta presentato un rapporto al Ministero. Che era stato irremovibile: la tassa andava pagata lo stesso, se non in natura, in denaro. Nel 1872 la tassa sul macinato era stata decuplicata, di conseguenza il costo del pane aumentò. Ci fu, sotto le finestre della Prefettura di Montelusa, una violenta dimostrazione che si concluse con quattro morti e diciotto feriti. La tensione, non solo nell'isola, divenne fortissima e il Governo, il 10 dicembre dello stesso anno, abolì la tassa sul macinato. La ripristinò esattamente dopo cinque giorni. La rabbia, per questa sfacciata presa in giro, esplose paurosamente, ma venne repressa a prezzo di dodici morti e quaranta feriti. Ora come ora, concludeva «La Concordia», il malumore della popolazione scorreva sotterraneo come un fiume. Avanzava infine l'ipotesi che l'uccisione dell'ispettore capo Tuttobene fosse stata dettata da sordo rancore contro il rappresentante di uno Stato affamatore.

L'articolo finiva così, ma accanto alla frase che riguardava l'omicidio di Tuttobene, Bendicò ci aveva messo un punto esclamativo con la matita blu.

Quale era il senso di quel commento? Decise di non leggere oltre. Salì nella camera da letto e coprì i materassi con i lenzuoli della vedova. La lettura delle carte gli aveva fatto passare l'appetito, mangiò solo qualche frutto di quelli colti da Michilinu. Faceva scuro e accese il lume. Troppo presto per andare a coricarsi. Prese un foglio da lettera, una matita copiativa e iniziò a scrivere: "Lalla e mamma amatissima...".

«Signor Bovara!»

Quella voxe, tutt'assemme a gh'à fæto fâ un botto da-a carega, a ne vegniva d'arrente a-a pòrta ch'a l'ëa arrestâ averta. O l'è stæto sciù e o s'è affermòu in sciô passo da porta.

«Chi è?»

«Amici.»

O no l'arriesciva à vedde ätro che doe ombre no guæi distanti.

«Che volete?»

O no l'ëa inspaximòu, ma quell'intruxon a ghe dava breiga.

«Ci manda don Cocò Afflitto che ha la casa qua, propio allato alla so'. Vorrebbe avere l'onuri d'accanoscerlo di pirsòna. Dice don Cocò se vossia voli favorire.»

«Favorire che?»

«Se accetta l'invitu di vinìri a mangiare con iddru stasira.»

«Ah, no. Ho già cenato. Ringraziatelo tanto.»

«Comu voli vossia. Bonanotti.»

«A voi.»

E doe ombre se son perse into scùo da neutte. Ma sto belin de don Cocò o ghe voeiva dâ da mangiâ à tutti i costi?

Tra o scì e o no, o l'à serròu a giöxìa do barcon e o l'à misso o færo mòrto a-a porta.

Lunedì 3 settembre 1877

Stavano assittati al tavolo delle trattative, il parrino con la vistaglia arriccamata e donna Trisìna vestita di tutto punto. Patre Carnazza aveva il petto che si isava e si abbassava, pareva stesse assufficando per mancanza di sciàto. Aveva le palle degli occhi mezze nisciute di fora, tali e quali a un pesce appena piscato.

«I due cannilèri d'argento dell'altare maggiore?»

«Sissignori.»

«Ma i due cannilèri sono un rigalo della marchisa Torrenova!»

«Me ne sto futtennu di chi l'arrigalò. Li voglio.»

«Trisinè, cerca di raggiunari, beddra mia, cori mio. Sti due cannilèri non sono cosa mia, alla chiesa appartengono!»

«E la chiesa di cu è? Non è so'?»

«Ma la marchisa sicuramente s'addunerà che i cannilèri non ci sono cchiù! Quella ogni jorno viene! E ne vorrà conto e ragione! E io che minchia le dico, eh? Quella, pitinosa com'è, capace che si rivolge prima al diligato e dopo al vìscovo!»

«È tanto semplice: vossia ci dice che i due cannilèri se li sono arrubbati i latri e che vossia non ne sapi nenti.»

«Ma se putacaso…»

«Parrì, la cosa sta accussì. Vossia m'arrigala i due cannilèri e io, in cangio, ci arrigalo quello che vossia disìdera. Facemo l'atto intero, come marito e mogliere, supra u letto, nella càmmara di dormìri. Vasannò, se vossia ha qualichi cosa di contrario, la storia finisci qua. E io in chiesa ancora ci vegnu, certo, ma non acchiano cchiù qua sopra a venirla a trovare. Ci pensasse. Ci lascio tempo fino a mercordì.»

Si susì, niscì. Craac fece la scala. Il parrino era vagnàto di sudore. I due cannilèri a sei braccia d'argento massiccio! Ma era nisciùta pazza quella fìmmina? Sì, e lui certamente macari era pazzo per quella fìmmina. Si susì di scatto, andò alla porta. Trisìna era arrivata ai piedi della scala.

«Trisì!»

«Eh?»

«Due volte?»

«Una solamente.»

E fece per muoversi.

«Aspetta!» implorò il parrino.

Vedeva sotto di lui la scala di legno e gli pareva di stare affacciato davanti alla scinnùta per lo inferno.

«S'addecidi, o no?» spiò Trisìna.

Si decise.

«Non c'è bisogno d'arrivare a mercordì. Vieni domani matina.»

Arrivò all'Intendenza ch'erano le otto spaccate, Stiddruzzo ci aveva impiegato tre quarti d'ora dalla casa a Montelusa. Smontò, portò il cavallo nella scuderia dell'Intendenza, lo consegnò agli addetti.

Salì direttamente nell'officio dell'intendente che quella mattina pareva di particolare malumore.

«Buongiorno, ragioniere. Oggi non sono veramente…»

«Non le ruberò molto tempo, signor intendente. Le chiedo solo di sapere chi sono La Mantìa e Fasùlo.»

«Eh?» fece il commendator La Pergola.

«La Mantìa e Fasùlo si chiamano, secondo quello che mi ha riferito l'usciere Caminiti, i due signori che sono venuti, debitamente da lei autorizzati, a rovistare tra le carte di Bendicò.»

«Ah, sì. Ora mi ricordo» disse, tentando un sorriso e recitando malissimo, il commendatore. «In effetti avevano il mio permesso. La Mantìa è il vice del delegato Spampinato, sperava di trovare qualche indizio che contribuisse alla scoperta dell'autore dell'omicidio.»

«Capisco. E ha trovato qualcosa?»

«No, niente.»

«E l'altro?»

«L'avvocato Fasùlo, sa, è un omo pio e pronto a farsi in quattro per gli altri.»

«Non capisco, mi scusi.»

«Vede, è una quistione assai delicata… Al povero Bendicò piacevano le fìmmine… Assai gli piacevano… pare avesse un'amante giovanissima…»

«Sì, va bene, ma perché questo avvocato Fasùlo…»

«È un omo pio, le ho detto, generoso… Temeva che tra le carte di Bendicò ci fossero lettere, biglietti compromettenti… Non voleva che la povera vedova Bendicò, oltre al dolore per la perdita del consorte, dovesse patire qualche altro dispiacere.»

Stava a contare storie, era chiaro. Giovanni non volle andare oltre, per il momento.

«La ringrazio, signor intendente.»

Il commendatore non ce la fece a tenere un sospiro di sollievo.

«Ragioniere, voglio avvertirla che ho fatto convocare per le undici di stamattina i suoi sottoispettori.»

Appena lo vide comparire nel corridoio, Caminiti s'alzò e gli andò incontro.

«Baciamulimani.»

«Sentite, Caminiti, quando volete salutarmi dite semplicemente buongiorno o buonasera.»

«Comu voli voscienza» fece freddo l'usciere.

«Vi siete offeso?»

«E sissignura ca m'offinnìi! Questo significa che vossia non mi voli dari nisciuna confidenzia! Bongiorno e bonasira si dice a uno stràneo!»

«Va bene, Caminiti, fate come volete.»

Stava per entrare nell'officio, ma si fermò sulla porta, stupito.

«Ogni lunedì matina, alle sei, vènino le fimmine a puliziare» spiegò Caminiti ch'era alle sue spalle. «Stamatina ci venni macari io, mi scantavo ca quelle si portavano le carte che interessavano a vossia. Ce li feci mettere sulla scrivania.»

Il balcone brillava, i vetri anche. Avevano lucidato persino il legno della scrivania, non c'era un grano di polvere sulle carpette delle pratiche.

«Vi ringrazio» disse Giovanni e chiuse la porta alle spalle dell'usciere. Sedette e tirò a sé le carte di Bendicò. C'era un grande disegno della provincia, fatto assai rozzamente, ma dove erano segnati tutti gli ottantadue mulini, divisi per distretti. A penna, in ogni distretto, c'era anche scritto il nome del sottoispettore responsabile: gli sarebbe tornato comodo quando i suoi dipendenti fossero venuti a rapporto. Notò che, a ogni minimo movimento che faceva, la scrivania si metteva a traballare e si chinò a guardare: uno dei due piedi di destra, il più vicino a lui, era visibilmente più corto dell'altro. E infatti gli vide d'accosto un tocco di carta più volte ripiegato che serviva a tenerlo pareggiato, forse che per pulire la stanza era stato spostato inavvertitamente. Si alzò, s'inginocchiò, tentò d'infilare nuovamente il pezzo di carta sotto il piede senza riuscirci. Bisognava ripiegarlo in modo diverso, con l'umidità del pavimento lavato si era come dilatato. Lo spiegò e s'accorse che si trattava di una carta della provincia in tutto uguale a quella che aveva messo da parte poco prima, solo che in questa i quadratini che rappresentavano i mulini erano circondati da circoletti a matita, alcuni rossi, altri blu. Che significava? Un senso però c'era sicuramente. Pigliò un pezzo di carta qualsiasi e lo sistemò sotto il piede corto. Posò la carta topografica sul piano della scrivania, la stirò più volte col palmo delle mani, si mise a studiarla.

Alle undici e un quarto sentì bussare. Ripiegò la carta e l'infilò nel cassetto centrale della scrivania.

«Avanti.»

«Ci sarebbero i sottoispettori» fece Caminiti con solo mezza testa dentro. «Ne ammanca solo uno ca è malato.»

«Va bene, falli entrare» disse Giovanni alzandosi.

S'aspettava che entrassero in gruppo e invece si presentarono uno alla volta, seguendo un rigoroso ordine alfabetico.

«Abbate Nicola.»

Una specie di nano dalla testa smisurata.

«Abbate Pietro.»

Un altro nano, con la testa da spillo.

«Siete fratelli?» gli venne di domandare a Giovanni.

«No» fece il nano Pietro scostandosi dal nano Nicola di un passo e guardandolo con una punta di sprezzo.

«Bongiovì Gerlando.»

Un terzo nano a forma di botte.

Giovanni cominciò a insospettirsi. Era una burla? Lo volevano mettere alla prova?

«Brancato Ettore.»

Quarantenne, statura media, normale. Giovanni tirò un sospiro di sollievo.

«Carcarò Gesualdo.»

Strabismo accentuato, per il resto abbastanza insignificante.

«Cumella Antonio.»

Spilungone, dovette abbassare la testa per entrare dalla porta.

«Errore Emanuele.»

Era veramente un errore, uno sbaglio della natura. Una scimmia che riusciva contemporaneamente, per una serie di tic nervosi tra di loro collegati, ad alzare il piede sinistro chiudendo l'occhio destro storcendo la bocca a sinistra e scostando dal fianco il braccio destro. Il tutto convulsamente.

Al posto del sottoispettore successivo, apparve la testa di Caminiti: «Fragapane Filippo manca, è quello che gli dissi malatosi».

«Grasso Salvatore.»

Teneva fede al cognome, un poco grasso, questo sì, ma per il resto, ringraziando Dio, tutto in regola.

«Stracuzzi Ottavio.»

Uno come tanti.

«Caminiti! Portate delle sedie per i signori!» fece Giovanni.

«Non ce n'è di bisogno» disse Carcarò con un occhio a Cristo e l'altro a san Giovanni. Era il portavoce della bella squadra.

«Come sapete, è da appena tre ore che ho preso possesso del mio officio e non ho ancora avuto modo di rendermi conto dei problemi che certamente ci sono. Questa convocazione, che io ritengo prematura, l'ha voluta il signor intendente senza consultarmi. Scorrendo alcune carte del mio defunto predecessore, ho constatato che venivate convocati a rapporto mensilmente. In base a questi vostri rapporti, Bendicò stendeva una relazione al signor intendente per gli opportuni provvedimenti. Ho capito bene?»

«Bene capì» disse Carcarò.

«Una domanda: ogni quanto tempo Bendicò veniva di persona nei vostri distretti per il riscontro dei vostri accertamenti?»

«Domanda se il ragioniere bonarma veniva pirsonalmente da noi?» domandò Carcarò volendo esser sicuro d'aver capito bene prima di rispondere.

«Esattamente.»

«Ci permette se ci ragioniamo tanticchia tra noi?» domandò Carcarò.

«Facciano pure.»

Si misero in circolo. Prima cominciarono a discutere sussurrando, poi i toni si alzarono, ma Giovanni non ci capì lo stesso nemmeno una parola. I tre nani ogni tanto si sollevavano sulla punta dei piedi per far giungere meglio la loro voce agli altri. Alla fine ripresero lo schieramento iniziale.

«Da noi non l'abbiamo mai veduto, non si è mai cataminato dal suo officio» disse Carcarò.

Giovanni non si meravigliò, non fece commenti, l'aveva già capito che le cose procedevano in quel modo.

«S'affidava a noi, ci aveva fiducia completa» proseguì Carcarò.

Ecco perché si erano consultati tra di loro! Avevano preparato il tranello, la trappola! Lo volevano incastrare con quelle parole in apparenza innocenti: se tu cambi le cose da come stanno, vuol dire che non hai fiducia in noi e quindi ci avrai nemici, se invece non cambi le cose vuol dire che sei una persona con la quale si può trattare.

Erano tutti in attesa della sua risposta e lo guardavano con intensità, persino gli occhi strabici di Carcarò cercavano di convergere al centro.

«Non si tratta di avere fiducia o meno» replicò, sforzandosi di non apparire sgarbato, «ma di fare il lavoro per il quale si è pagati.»

«E questo giusto è» ammise Carcarò.

«Quindi io, quando e come lo riterrò opportuno, verrò di persona nei vostri distretti a controllare i mulini. Ripeto: non si tratta di mancanza di fiducia nei vostri confronti.»

«Prima di venìri ci avvertirà?»

«No, naturalmente.»

«E questa non la chiama mancanza di fiducia?»

Ci furono risatine e mormorii tra i sottoispettori. Carcarò si beò per il successo ottenuto.

«Questo primo incontro si chiude qua» disse fermo Giovanni. «Un'ultima cosa ho da dirvi: per presentare i rapporti, sarete convocati quindicinalmente e non mensilmente come avete finora fatto.»

Sentì, materialmente, fermarsi il respiro dei sottoispettori.

«Bongiorno» fece poi per tutti Carcarò.

Appena i sottoispettori se ne furono andati, chiuse la porta a chiave ed aprì la finestra: l'officio era grande, ma tante persone in quella stanza facevano lo stesso mancare l'aria. O perché voleva scacciare la pessima impressione che quelli gli avevano fatto? Tirò fuori nuovamente la carta topografica ch'era servita per il piede della scrivania e andò a cercarvi il distretto di Carcarò. Era il più grande di tutti, si estendeva da Santa Elisabetta a Canicattì, passando per Aragona, Comitini, Grotte, Racalmuto, Castrofilippo. Comprendeva dieci degli ottantadue mulini. Prese dal classificatore i rapporti mensili di Carcarò e cominciò a studiarseli. C'era qualcosa che non quadrava, ma non capiva cosa.

Bussarono. Rimise la carta nel cassetto centrale, lo chiuse a chiave, s'infilò la chiave in tasca, ricollocò nel classificatore i rapporti di Carcarò, andò ad aprire.

«Non c'è bisogno ca vossia chiude con la chiavi. Io davanti alla porta sto e non faccio trasìri a nisciuno» fece, sostenuto, Caminiti.

Madonna santa, quant'erano tutti suscettibili!

«Che c'è?»

«C'è che sua cillenza l'intindenti la voli vidìri.»

«Va bene, poi ci passo.»

«Ma è già l'una! Doppo, sua cillenza va a mangiare!»

Già l'una?

Il commendatore pareva un poco a disagio.

«Mi scusi, ragioniere, se l'ho fatta chiamare. Non vorrei apparire come uno che voglia intromettersi nel suo operare...»

«Non ci penso nemmeno. Lei è il mio superiore.»

«Guardi, ragioniere, non è questo il tono giusto da dare al nostro colloquio. Niente superiore e niente inferiore. Vorrei, come dire, paternamente, ecco, invitarla a riflettere su una disposizione che lei ha impartito ai suoi sottoispettori.»

«Sono venuti a protestare con lei?»

«Per carità! Protestare! Non si permetterebbero mai! Non a protestare vennero, ma a esporre, serenamente, un certo... un certo...»

«Sconcerto?» suggerì Giovanni.

L'intendente però non afferrò l'ironia.

«Ecco, bravo! Sconcerto è la parola giusta!»

«E lo sconcerto lo provano perché ho loro detto che andrò di persona a controllare, senza preavviso, il loro operato? O nasce perché voglio un rapporto quindicinale?»

«Senta, ragioniere. Io stesso ho sollecitato diverse volte Bendicò a eseguire delle ispezioni di persona... ma, vede, era molto malato di cuore la bonarma, mi creda, ogni minimo movimento gli costava grave nocumento.»

Ma come?! Bendicò aveva un piede nella fossa, stava più di là che di qua e intanto se ne andava a fottere a dritta e a manca?

«E se lei ben ricorda» proseguì il commendatore «io le misi a disposizione una carrozza perché ritengo sia precipuo dovere di un ispettore capo dell'Intendenza, ripeto: precipuo...»

«Allora si lamentano per la convocazione quindicinale?» interruppe sgarbatamente Giovanni.

«Ecco, lei deve capire, ragioniere, che qui le strade non sono come quelle di Reggio Emilia... Le rotabili sono scarse, perlopiù si tratta di disagevoli mulattiere, infami trazzere... e le distanze ci sono, sa? Quindi, farli venire a Montelusa ogni quindici giorni significa sottoporre questa povera gente, senza ragione alcuna, a viaggi non dico perigliosi, ma...»

«Lei quindi, mi pare di capire, non è d'accordo.»

«Non si tratta d'essere d'accordo o no, ma d'esaminare la quistione dal punto di vista del buonsenso e dell'umanità. Come lei saprà, essi non sono dipendenti in pianta stabile, si tratta di personale assunto temporaneamente che integra il misero stipendio con una minima percentuale sulle multe.»

«Mi tolga una curiosità. Da chi sono stati assunti?»

«Da Bendicò. È l'usanza. Ogni nuovo ispettore capo può, se vuole, scegliere persone di sua fiducia.»

«Quindi io potrei licenziarli?»

«Ora come ora no, non può. Deve aspettare la scadenza del contratto annuale. Il loro cessa il 30 dicembre prossimo. Nel caso lei volesse procedere in questo senso, e dato che qui lei non ha molte conoscenze, la consiglio di fare come hanno fatto i suoi predecessori Tuttobene e Bendicò.»

«E come hanno fatto?»

«Si sono rivolti all'avvocato Fasùlo. Essendo un omo pio, ha una lista di bisognosi, ma perbene, di tutta la provincia.»

«Signor intendente, io, se lei lo desidera, revoco la convocazione quindicinale dei sottoispettori. Ma consideri che, se lo faccio, si convinceranno che basta venire a protestare da lei perché io sia costretto a rimangiarmi gli ordini.»

"Questo Bovara è uno strunzo" pinsò l'intendenti che sapìva navicàre nel bono e nel malo tempo "ed è uno strunzo che fa il furbo. Ma devi ancora nàsciri chi me lo metterà 'n culu."

«Senta, ragioniere, io le ho esposto solamente il problema. Decida lei per il meglio.»

Alle nove di quell'istesso matino di lunedì 3 di settembiro, don Memè Moro s'appresentò nello studio dell'avvocato Fasùlo. Ci mise una mezzorata a dire quello che l'angustiava.

«Riferirò» disse alla fine l'avvocato «e le farò sapere.»

Alle dieci e un quarto di quell'istesso matino di lunedì 3 di settembiro, s'appresentò il ricevitore postale cavaleri Brucculeri. Lui ci mise un'orata scarsa a mettere al corrente l'avvocato della facenna che gli aveva levato l'onori e il sonno.

«Riferirò» disse alla fine l'avvocato «e le farò sapere.»

A mezzojorno passato di quell'istesso matino di lunedì 3 di settembiro, patre Carnazza fece la so' comparsa. Ci volliro sì e no una decina di minuti per spiegare la preoccupazione che gli dava quel cornuto di Brucculeri che si era sentito prudere le corna.

«Riferirò» disse alla fine l'avvocato «e le farò sapere.»

E datosi ch'era un omo pio, si susì, piegò un ginocchio e vasò la mano al parrino.

«Voli ca scinno a pigliàricci qualichi cosa di mangiari?» spiò Caminiti.

«No, grazie, andate pure. Ci vediamo più tardi.»

Aveva appetito ma non voleva ripetere la storia di sabato con il misterioso don Cocò che gli offriva da mangiare e da bere e lui che doveva rifiutare.

Quando stimò che l'usciere non si trovava più nei paraggi, uscì dall'officio, entrò nell'osteria ch'era a pochi passi dall'Intendenza. C'era un tavolo occupato da quattro muratori.

«C'avemu?» si sorprese a spiare in dialetto al patrone ch'era macari cammarèri.

Mangiò cavatuna fatti all'oglio, pipi nìvuro e cacio picorino; doppo si fece portare un piatto di sarde salate condite con oglio, acìto e origano. Si scolò mezzo litro.

«Quantu veni u cuntu?»

«Nenti, vossia non paga.»

«Che viene a dire?»

«Vossia si chiama Bovara ed è il novo capo ispettori?»

«Sì.»

«Allura, tutto pagatu.»

«E cu è chi pagò?»

Sapeva già la risposta.

«Don Cocò Afflitto mi ha dato ordine ca si vossia metteva pedi ccà dintra e mangiava, vossia non doveva pigliare in mano il portafogliu.»

«Senta, non posso accettare, non se ne parla nemmeno. Mi dica quant'è e facciamola finita con questa persecuzione!»

«Sintissi, signor ispettori. È inutile ca vossia si mette a parlare taliàno con mia. Io i soldi so' non me li posso pigliari, va beni?»

«Buongiorno» fece Giovanni.

E uscì. Aveva l'impressione che le sue narici fumassero come quelle di un toro infuriato.

Ancora lunedì 3 settembre 1877

Alle quattro di doppopranzo la carrozza di donna Trisìna si fermò davanti al cancelletto di legno lasciato accostato. La fìmmina sporgì la testa dal finestrino, taliò la casa. Porte e finestre serrate, ma non si fidava, non voleva fare mala figura.

«Vai a tuppiàre alla porta» disse a Michilinu.

Il picciotto lassò le redini e corse lungo il viottolo. Donna Trisìna lo vide tuppiàre diverse volte, ma nisciuno venne a raprìri. Rassicurata, scinnì, andò alla porta; tirò fora da una sacchetta della sottogonna un chiavino, due l'aveva dati all'inguelìno, uno invece se l'era tenuto pirchì non si sa mai, raprì, trasì. Il forestèri aveva abitato la casa manco da una jornata e mezza e già si vedeva quel disordine che gli òmini usano fare. Acchianò nella càmmara di dormìri: l'inguelìno non si era rifatto il letto. Glielo riconzò lei, amorosamente, i linzòli tirati che parevano attaccati con la colla. Raprì la porta del cammarìno di còmmodo, sturcì la bocca per la puzza, il cantaro era pieno.

«Michilinu!»

«Cumanni» fece il picciotto dalla càmmara di sotto.

«Acchiana, piglia u càntaro e vallo a svacantare darrè la casa, nel fosso, e dopo lo lavi con l'acqua del pozzo.»

Mentre Michilinu faceva quello che la patrona gli aveva ordinato, donna Trisìna mise a posto la càmmara di mangiari.

«Michilinu!»

«Cumanni.»

«Piglia i pacchi dalla carrozza e portali qua.»

Deci minuti appresso sul tavolo c'erano un sacchetto con dintra cento grammi di cafè bono, un altro con trecento grammi di zùccaro, mezzo chilo di farina, un chilo di pasta fina di Napoli, tre tazzine di porcellana con sottotazze, un cucchiarino di vero argento, un rotolo di tela matapollo finissima per fare camicie, un lume di bronzo.

Donna Trisìna taliò tutta quella robba compiaciuta. Il giorno appresso ci avrebbe portato macari due lucenti, pisanti cannilèri d'argento massiccio a sei vrazza. Che le pigliava? Quello che sentiva per quell'omo, metà forestèri e metà paisano, non l'aveva mai provato prima.

Alle cinque del pomeriggio, con la testa in fiamme che gli doleva per la fatica, con gli occhi diventati quasi strambi a forza di confrontare i rapporti dei sottoispettori con la carta topografica trovata sotto lo scagno, con l'indice e il dito grosso rattrappiti per stringere l'asticciòla metallica del calcolatore "Super velox" che portava sempre in tasca, finalmente scoprì il significato dei circoletti rosso e blu. I circoletti rossi segnavano quante volte un mulino era stato multato per infrazioni di poco conto, quelli blu indicavano veri e propri reati come l'alterazione del registro contabile o la mancata denuncia di molitura. Tutte infrazioni che comportavano multe salatissime o la chiusura del mulino per un periodo di tempo da un mese in su e persino l'arresto del titolare. Senonché i circoletti rossi e quelli blu venivano segnati a scadenze precise, seguendo un turno evidentemente prestabilito.

Tutto questo stava a significare, in parole povere, che in base a un accordo i titolari pagavano, attraverso quelle multe concordate, una cifra fissa ai sottoispettori. I quali, naturalmente, si guardavano bene dall'effettuare vere ispezioni; forse nemmeno conoscevano l'indirizzo del mulino, lasciando liberi i mugnai di fare i comodi loro. Era una vera e propria mappa della mangiuga quella che Bendicò teneva ingegnosamente nascosta in un nascondiglio che il santuomo avvocato Fasùlo e il vicedelegato La Mantìa non erano riusciti a trovare, perché questo papè erano venuti di sicuro a cercare, altro che elementi per l'indagine o lettere d'amore, come aveva sostenuto l'intendente.

E ora, che fare?

Si macerò il cervello ancora un poco poi trovò anche questa soluzione. Doveva avere tra le mani una prova incontrovertibile da far vedere al suo superiore. Fece ancora dei calcoli, quindi prese un foglio di carta intestata dell'Intendenza e scrisse:

"Montelusa, li 3 settembre 1877. Io sottoscritto Bovara Giovanni, ispettore capo ai mulini in servizio presso l'Intendenza di Finanza di Montelusa, affermo che, nella riunione con i sottoispettori, da me convocata per il 18 settembre p.v., accadrà quanto segue:

il sottoispettore Abbate Nicola dichiarerà nel suo rapporto d'avere rilevato una grave infrazione nel mulino 'San Giuseppe';

il sottoispettore Brancato Ettore dichiarerà due infrazioni leggere nei mulini 'Santa Lucia' e 'Cristo Re';

il sottoispettore Cumella Antonio un'infrazione leggera e una grave rispettivamente nei mulini 'San Gerlando' e 'San Calogero';

il sottoispettore Fragapane Filippo (da notare che non ho avuto modo di conoscerlo non essendosi presentato per sopravvenuta malattia) due infrazioni gravi nei mulini 'Santa Rosalia' e 'Sant'Agata' e una leggera nel mulino 'Santissimi Cosma e Damiano'.

I rimanenti sottoispettori, nei loro rapporti, non rileveranno infrazione alcuna.

Di questa lettera, che indirizzo a me stesso, farà fede il timbro postale."

Firmò, pigliò una busta senza intestazione, ci scrisse il suo indirizzo presso l'Intendenza, la chiuse. Guardò l'orologio, si erano fatte le sei.

«Caminiti!»

«Ai cumanni!»

«Vado via, a casa ho ancora molte cose da sistemare.»

«Tanto negli offici non c'è cchiù nisciuno.»

«Ma l'orario non è fino alle otto?»

«Certo. E che viene a dire? Alle sei ccà dintra non c'è nisciuno.»

«Sentite, io dovrei andare prima alla posta e poi a farmi tagliare i capelli. Come faccio per il cavallo?»

«U cavaddro lo pò lassare nella carrozzeria. Il signor intendenti ha dato ordine che deve restare aperta infino a mezzanotti pirchì certe volti ci servi la carrozza. Epperciò un cavallante c'è sempre.»

«Mi sapreste indicare dov'è la posta?»

«Mi dassi a mia la littra ca ce la faccio spidìri con l'altra posta dell'officio.»

«No, è corrispondenza privata.»

«Ebbè? Il ragioniere Bartolino ca scrive alla zita, l'incaricato Crisafulli ca scrive a so' frati, il...»

92

«Sentite, non m'interessa quello che fanno gli altri. Ditemi solo dov'è l'officina postale.»

«Comu vole vossia. Appena è fora dell'Intendenza, gira a mancina, fa tutta la strata, gira ancora a mancina e quella è la posta.»

«Grazie. Un buon barbiere?»

«Il meglio del pàisi. Ha prisenti l'albergo Gellia? Due porte appresso, c'è scritto Salone Ingrassia.»

Il sacristano sonò la campanella e patre Carnazza trasì dalla sacristìa per la funzione del pèspero. Fece tre passi in direzione dell'altare maggiore, si fermò, si portò una mano all'altezza del core, variò a dritta e a mancina, si piegò sulle ginocchia.

«Matre santissima! Male si sente u parrino!» fece voce una parrocciana prontamente stèrica. In quattro o cinque tra màscoli e fìmmine si precipitarono oltre la balaustra, tennero addritta patre Carnazza che minazzava di cadere in terra.

«Chi fu, parrì?»

«Che si sentì, parrì?»

«Non ci facesse scantare, parrì!»

Patre Carnazza dava l'impressione d'assufficare, non riniscìva a parlare.

«Aria! Aria!» fece uno.

«Chiamate u dutturi!» fece un altro.

Le due voci vennero sovrastate da quella della signora Cuccurullo Ersilia in Imbrò, fìmmina inclinata alla tragedia, che una volta aveva scangiato per terremoto una sullenne piritàta del consorte:

«Nenti! Nenti! Morto è.»

E intonò, con voce acutissima, un *Inno per un'anima*

che lascia il mondo scritto e musicato dallo stesso patre Carnazza che ogni tanto di cose spirituali si dilettava:

"Mondo più per me non sei,
Io per te non sono più!
Tutti già gli affetti miei
Gli ho donati al mio Gesù."

«Basta accussì! Meglio sto!» gridò il parrino che pativa di superstizione e si era perciò atterrito all'iniziativa della signora Cuccurullo.

Si bevve un bicchiere d'acqua che qualichiduno gli aveva portato e, indicando l'altare maggiore con l'indice che gli tremoliava, parlò accussì vascio che in molti non lo sentirono:

«I cannilèri!»

Tutti i fideli solamente in quel preciso momento s'addunarono che i cannilèri d'argento non erano più al loro posto.

«Si l'arrubbarono!» disse patre Carnazza.

«Si l'arrubbarono!» fece il coro dei fideli segnandosi.

«Sagrilegio!» gridò patre Carnazza.

«Sagrilegio!» ripeté il coro.

Prontissima, la signora Ersilia Cuccurullo in Imbrò intonò un inno, *Quale è il frutto del peccato?*, originariamente in latino, ma che nella sua versione suonava pressappoco accussì:

"Quali fruttum habuisti
del piccatu ca facisti?
Nelle fiamme dell'inferno
ora arrosti a foco eterno."

«Andiamo a denunziare questo furto sagrilego!» ordinò patre Carnazza che pareva tanticchia arripigliato dal sintòmo di prima.

«A denunziare! A denunziare!» fece il coro.

Niscìrono tutti dalla chiesa. A qualichiduno ci parse una processione e s'inginocchiò.

Spedita la lettera, Giovanni risalì la via Atenea, stavolta quasi deserta, incontrò i tre giovanetti che ciondolavano tristemente non avendo chi salutare. Trovò il salone del barbiere ed entrò. Era senza clienti, la maggiore affluenza di barba e capelli cade di sabato. C'era un uomo in camice bianco quasi della sua stessa età e un bambino con una spazzoletta in mano che si guardava nello specchio.

«S'accomodasse» fece l'uomo indicandogli una delle tre sedie del salone.

«Un'accorciatina ai capelli e una spuntatina ai baffi» disse Giovanni sedendosi.

«E la barba non la vogliamo fare?»

«Facciamola» acconsentì Giovanni.

Il barbiere gli annodò attorno al collo un asciugamano grande quanto un lenzuolo e cominciò a lavorare. E, naturalmente, a parlare.

«Vossia forestièri è?»

Chissà perché, non ebbe il coraggio di dirgli una cosa per un'altra.

«Veramente sono nato a Vigàta, ma poi...»

«Aspittasse un momento!» l'interruppe il barbiere restando con la forbice a mezz'aria. «Vossia per caso non è il novo ispettori capo che viene da Reggio Emilia?»

«Sì» rispose irritato Giovanni.

Figurarsi se in un paese come quello non conoscevano tutto di tutti! E con la curiosità che ogni forestiero fa nascere, poi!

«Stamatina ne parlavano qua, in salone. Ma non capii bene il suo cognomi.»

«Bovara» disse a denti stretti Giovanni.

Non si trattava più delle quattro chiacchiere in un salone da barbiere, ma di un interrogatorio sbirresco.

«Ah» commentò il barbiere e ripigliò a lavorare in un silenzio che Giovanni intuiva provvisorio.

E infatti.

«Mi scusasse, signor ispettori. Suo patri si chiamava Pietro e so' matre Di Stefano Carmela?»

Erano riusciti persino a conoscere con esattezza i suoi dati anagrafici! Come diavolo avevano fatto?

«Sì, ma lei come ha fatto a sapere...»

«Me' matre si chiamava Di Stefano Giuseppa ed era la sorella maggiore di so' matre Carmela. Poi si maritò con Ingrassia Filippo che era me' patre. Cuscini stritti, di primu gradu, siamu.»

Un cugino! E venne travolto dal ciclone Fefè Ingrassia: sollevato dalla sedia con il lenzuolo al collo, abbracciato, baciato, stritolato, sbatacchiato.

«Ora chiudo il salone e tu veni a mangiare a casa mia, veni ad accanoscere a me' mogliere e ai me' figli!»

«Questo è uno?» domandò Giovanni indicando il ragazzino impietrito con la spazzola in mano.

«No, questo è un nipote. Maria santissima! Di chiàngiri mi viene per la commozione! Basta, chiudiamo!»

«Non finisci di tagliarmi i capelli?» chiese timidamente Giovanni.

«Non posso, cuscino mio, propio non posso. Vidi? Mi trema troppo la mano. Ti farei i capiddri scale scale.»

Il diligato Spampinato fece firmare a patre Carnazza la denunzia del furto dei due cannilèri e doppo spiò al sacristano:

«A che ora hai chiuso la porta della chiesa?»

«Alli due di doppopranzo e la raprìi alle quattro che già c'era la signura Ersilia ca aspittava pi trasìri.»

«E quindi hai addrumato i cannilèri.»

«Nonsi.»

«E pirchì? Forse che i cannilèri non c'erano più?»

«Nonsi, io non vitti se c'erano o non c'erano. I cannilèri vanno addrumati sulamente pi la santa messa di la domìnica matina.»

«Bisogna fare un sopralloco» disse La Mantìa, il vicediligato.

«Indovi?» spiò patre Carnazza allarmato.

I cannilèri li aveva propio sul tavolino della càmmara di mangiari, già esposti e pronti per la venuta di Trisìna la matina appresso.

«Come, indovi? In chiesa, e se è di necessario, macari in sacristìa e nel quartino di vossia» si risentì La Mantìa.

«Nzamà, Signore!» reagì il parrino. «Una periquisizione nella mia casa sarebbe sagrilegio!»

«Ma comu?» s'infuscò La Mantìa. «In chiesa sì e in casa vostra no?»

«La chiesa è di tutti, la casa mia è mia. E v'avverto: se periquisite la me' casa, le fiamme dell'inferno v'abbrusceranno per l'eternità! Anatema sopra a voi, sopra i vostri figli e sopra i figli dei vostri figli!»

«Sopra i figli dei vostri figli!» fece il coro a voce vascia e minacciosa.

«Va bene, va bene» troncò Spampinato che non credeva a niente, ma che era della piniòne che per il sì o per il no meglio sempre era quartiarsi. «Andiamo a dare un'occhiata solamenti in chiesa.»

Niscirono in processione dalla delegazione. E subito si sparsero in paìsi due voci contrastanti. La prima era che il diligato si era finalmente pirsuaso ad arrestare quell'anima dannata di patre Carnazza. La seconda era che il diligato Spampinato, miscredente e bestemmiatore, in seguito a un'apparizione notturna della Madonna, si fosse di colpo convertito e andasse in chiesa a domandare pirdono dei piccatazzi suoi.

Trascinato in casa di Fefè Ingrassia, Giovanni venne presentato alla di lui consorte Sarafina, madre dolorosa di due piccoli delinquenti comuni, Michele di anni dieci e Saverio di anni otto, i quali non fecero altro che picchiarsi, piangere e inseguirsi da una stanza all'altra sbattendo le porte. Mangiarono pasta asciutta, coniglio alla cacciatora, cacio con le spezie. In previsione degli inevitabili incubi notturni da difficile digestione, Giovanni tentò di rifiutare una porzione gigante di cassata, ma non ci fu verso. Il cugino Fefè evidentemente, col suo mestiere di barbiere, non se la doveva passare tanto male. Durante la cena, parlarono della loro parentela, ma non c'era la possibilità d'avere memorie comuni. Quindi la signora Sarafina, a forza di schiaffoni e qualche pedata, costrinse i due delinquenti ad andare a letto e anche lei ci andò, stremata. I due uomini restarono soli. La chiacchierata, iniziata alle otto e mezzo, finì tre ore dopo.

Chiacchierata per modo di dire, perché parlò quasi sempre Fefè Ingrassia. E così Giovanni apprese che:

– la 'ngiuria, o soprannome, con la quale il suo superiore era canosciuto a Montelusa e dintorni era quella di "scrafaglio merdarolo" e ne ebbe spiegate le ragioni con abbondanza d'esempi;

– la so' patrona di casa, donna Trisìna Cìcero, era indubbiamente una grandissima buttana. Beddra, su questo non si discuteva, ma cajorda. Vivo il pòviro marito, gli aveva messo le corna prima con Arazio Stancampiano, commerciante di frutta e virdùra, doppo con Totò Lopresti, possidente, e doppo ancora con il geometra Trimarchi. Morto il marito, si era messa prima con Gnazio Spampinato, frati del diligato, doppo con l'avvocato Fasùlo e doppo ancora con patre Carnazza, parroco della Matrice;

– il quale patre Carnazza era cògnito che, oltre ad essere un grannissimo fimminàro, usava praticare prestiti di denaro. Dalle parrocciane si faceva pagare in natura. Agli òmini invece li scorciàva vivi, gli levava la pelle. Il pòviro Tinino Fiannàca si era attaccato una màzzara al collo e si era gettato nel mare di Vigàta propio pirchì, per un prestito di cinquemila lire, il parrino l'aveva arridotto in miseria;

– il quale patre Carnazza, sempre lui, prima o doppo, le avrebbe pagate tutte col palmo e la gnutticatùra («Eh?» fece Giovanni. «Ti lo scordasti come si dici? È la misura del panno: un palmo e un pollice ripiegato per buon peso.») Qualichi marito giluso. O qualichiduno che avendo avuto pristàto deci ne doveva restituire mille. Ah, notizia fresca fresca: prima di donna Trisìna, il parrino ficcava con si-donna Romilda Brucculeri, moglie del ricevitore postale. Ebbene, il giorno avanti il signor ricevitore era stato visto da tutti passiare nirbùsamente davanti alla chiesa e doppo trasìri nella chiesa stessa quanno non c'erano cchiù funzioni! Lui, che non ci metteva mai piede! I paisani avevano fatta la supposta che il ricevitore aveva, in ritardo, saputo della tresca e voleva ora spiare conto e ragione al parrino. Il cornuto pacinzioso, quando perde la pacienza, è pricolòso assai;

– il quale patre Carnazza, sempre e ogni sempre lui, stava facendo nèsciri pazzo il cuscino don Memè Moro, che si era visto privare di una grossa eredità dai maneggi del parrino. A Memè Moro ci restava solamente il fondo Pircoco, ma era piniòne comune che macari quello finiva nelle sacchette di patre Carnazza. Allora chi l'avrebbe più tenuto a don Memè Moro? Certo come la morte che Memè avrebbe sparato al cuscino parrino;

– a proposito di sparatine, Bendicò, il predecessore di Giovanni, era stato ammazzato, pare, perché gli era venuta troppa fame, vale a dire che non si contentava cchiù della parte che gli veniva passata per non ispezionare i mulini ("Allora secondo te sarebbero stati i mugnai ad ammazzarlo?" aveva spiato Giovanni. E Fefè, strammàto: "I mugnai?! Ma che ti passa per la testa? Bendicò cchiù soldi non li voleva da loro! Quelli dei molini, se qualichiduno gli ordina di dire che il vino è acqua, lo dicono");

– a proposito di acqua, il predecessore del predecessore, Tuttobene, non era caduto in mare, ma vi era stato gettato per l'istesse ragioni per le quali Bendicò era stato arritrovato in un vallone mangiato dai cani;

– che uno che voleva campare in santa pace a Montelusa doveva semplicementi fare attenzioni a non distrubbàre l'avvocato Fasùlo, il quale...

«Chi è don Cocò Afflitto?» l'interruppe Giovanni.

Non s'aspettava di provocare la reazione che seguì. Fefè Ingrassia letteralmente saltò dalla seggia, si precipitò a chiudere la finestra.

«Pirchì m'hai fatto questa dimanda, eh?»

«Ma io volevo...»

«Tu questa dimanda a me non la dovevi fare! È meglio che ce ne andiamo a dormìri. S'è fatto tardi.»

Sulla porta, di scatto, Fefè abbracciò forte il cugino.

«Guardati!» gli murmuriò all'orecchio.

Giovanni sorrise.

«Pensano che sono destinato a fare la stessa fine di Tuttobene e di Bendicò? Lo pensi macari tu?»

Fefè Ingrassia si fingì ammaravigliato.

«Ma che ti passa per la testa? Io ti dissi di guardarti pirchì stanotti fa tanticchia d'umidità.»

Che bella nottata! O ciæo da lunn-a o s'allargava in sciâ campagna, paiva de giorno, no passava unna fïa de vento. giusto quarche baietto de can, quarche grillo cantadô...

A' cavallo o Giovanni o chinava zù verso a cà de Vigàta e o s'abbrancava comme un ch'o s'è perso pe mâ a-a sò lengua zeneise, quella inta quæ o l'aiva impreiso à vive e à raxonâ, pe sarvâse da-o mâ grande di mocchetti, di ciæti. di sospetti, de fäscitæ inte quæ o l'ëa squæxi negòu appreuvo a-o ciæzâ in siçilian de sò coxin Fefè.

FALDONE A

All'Eccellentissimo
Intendente di Finanza
Montelusa

Montelusa, li 10 settembre 1877

OGGETTO: Rapporto dell'Ispettore capo ai molini Bovara
Giovanni

Dopo scrupoloso, attento e reiterato esame della dilocazione dei molini agenti nella Provincia di Montelusa, studio portato a compimento mercé le carte topografiche offi-
ziali fatte pervenire al mio Officio, appresso mia formale
richiesta, dalla cortesia della Signoria vostra ill.ma, ren-
deami assai presto edotto di una vacanza a vol d'uccello
appalesantesi che poteasi tanto assegnare al caso quanto
ad umano, ancorché criminale, disegno.
È certamente bene a conoscenza della Signoria vostra
ill.ma che alla fiscale jurisdizione di questa Intendenza trovasi sottomesso, infra i paesi di Zammùt e di Caltabellotta,
il vastissimo feudo nomato "Terrarossa" per produzione
cerealicola e frumentizia tra i più feraci dell'Isola tutta.

Esso confina, lungo la linea terminale meridionale, con il parimenti ferace feudo volgarmente conosciuto come "Funnacazzo", popolare distorsione dello spregiativo "fondacaccio".

Orbene, né all'interno dei feudi istessi né in propinqui territori risulta allocato molino alcuno! Tutti i lavoranti del feudo, necessitanti di molinazione, avrebbero da percorrere disagevolissime trazzere per un giorno circa di cammino onde raggiungere i più vicini molini che trovansi uno a Zammùt e l'altro a Caltabellotta. Da un controllo da me personalmente attuato si evince che solo una parte minima di cereali e di frumento vien fatta giungere ai molini di Zammùt e di Caltabellotta.

Divisai allora, mosso da volontà d'acclaramento più che da sospetto, di andar di persona per un sopralloco non facendone a niuno parola per non cagionare impaccio e averne, di converso, un qualche ingombro al mio proposito. È per puro spirito d'onestà che la metto al corrente di questo mio divisamento.

L'altrieri, che ancor non facea giorno, partiva a cavallo alla volta di Zammùt. Per uno sfortunato accidente che tolsemi tempo (la perdita di un ferro della mia cavalcatura), giungeva a vista del paese che già avanzava l'occaso, ma al bivio di Roccella divisava di procedere per scoscesi sentieri fin dentro il feudo "Funnacazzo". Proprio sulla linea di confine col feudo "Terrarossa" incontrava un notturno uccellatore il quale, interrogato nella mia natal parlata, diceami che alquanto più addentro trovavasi una malconcia via da carri. Soccorso dalla luce della luna piena, procedea ancora per un'ora all'incirca dopo di che la mia cavalcatura, stremata, rifiutavasi di camminare ancora. Era giocoforza far bivacco. Governato il cavallo e distesomi sotto un frondoso carrubo, caddi ben presto preda del sonno. Venni destato, che ancor non era trascorsa un'ora, da un ininterrotto cigolar di ruote di carri e dallo sbuffare di equini. Cautamente alzatomi e mosso qualche passo ebbi a constatare d'aver fatto bivacco a pochi metri dalla strada della quale m'aveva fatto cenno l'uccellatore.

Sulla strada procedea un'infinita teoria di carri, allato vi camminava a passo una fila di persone silenti. Tolto il tascabile cannocchiale che sempre secomè porto, notava che gli zoccoli dei quadrupedi eran fasciati onde evitare che facessero troppo romore e che ogni carro era sopracarico di sacchi consueti al trasporto di grano e di cereali.

La sfilata de' carri continuò per mezz'ora buona, ebbi sommariamente a contarne più di un centinaio.

Trascorso l'ultimo carro e lasciato il cavallo legato al carrubo, mi misi a seguire a distanza la carovana, provvedendo a non perder mai di vista il fievole lume che pendeva dall'asse dell'ultimo carro. La camminata durò un'ora all'incirca, quindi la processione de' carri si fermò. Gittatomi prontamente fuor di strada, a fianco d'essa silenziosamente procedetti, celandomi or dietro a un albero or stendendomi a terra al riparo di un fitto cespuglio. Pervenni così quasi in testa alla colonna.

Il primo de' carri erasi fermato per essere scaricato da un manipolo d'uomini all'uopo disposto: i sacchi erano trasportati all'interno di una sorta di magazzeno tutto in legno dal quale, da lì a poco, dipartivasi il caratteristico romore delle mole da macina in movimento.

Un molino a tutti celato si disvelava davanti a' miei attoniti, increduli occhi!

La vacanza da me rilevata in sulla carta topografica trovava razionale spiegazione e confermava il mio sospetto!

Immantinenti l'animo mio mi suggerì di balzare in piedi e, arma in pugno, intimare l'alto ai malviventi, che tali erano e tali son da considerare siffatti evasori, ma la ragione, di subito che ripresa si fu dall'attonimento nel quale l'aveva gittata una tal vista, si manifestò di ben altro avviso, scongiurandomi di non espormi oltre, di non intervenire.

Troppo facile sarebbe stato per quei malintenzionati il sopraffarmi e il ridurmi a eterno silenzio!

Accortamente mi ritirai e, finalmente raggiunto il carrubo, ripigliai il cavallo e, senza porre tempo in mezzo, galoppai alla volta di Montelusa. Quivi giunto nel tardo mattino, domandava udienza a Sua Eccellenza il Prefetto Palasotto Grand Uff. Cesare Giulio, il quale generosamente me l'accordava. Espostogli circostanziatamente il fatto, Egli, esprimendo alta maraviglia e aspramente pronunciandosi avverso i trasgressori della Legge, munivami di un suo biglietto da consegnare personalmente al Comandante la locale Stazione dei Reali Carabinieri, Lostracco Capitano Alfanio.

Il già detto signor Capitano, immediatamente ricevutomi, pur di tutto cuore obbediente agli ordini di Sua Eccellenza il Prefetto, mi manifestava l'assoluta impossibilità d'inviare in loco un reparto di Carabinieri in quanto essi erano impegnati altrove. Mi suggeriva quindi di rivolgermi al signor Questore, Marcuccio comm. Silvano.

Recatomi nella Regia Questura mi veniva comunicato da un piantone che il signor Questore trovavasi a letto da qualche giorno perché colpito da influenza. Riusciva allora a farmi ricevere dal vicequestore Zichichì Cavaliere Arnaldo il quale, letto il biglietto di Sua Eccellenza il Prefetto, stimava inopportuno ogni e qualsiasi intervento: ciò avrebbe potuto significare una indebita ingerenza della Regia

Questura nei confronti dell'Arma dei Reali Carabinieri. A nulla valsero le mie suppliche!

Non trovai di meglio che tornare alla Stazione dei Reali Carabinieri e nuovamente domandar udienza al Capitano Lostracco.

Obbligandomi al più rigoroso silenzio, mi comunicava allora che avrebbe provveduto alla bisogna entro un massimo di giorni tre e volle che io, sulla carta topografica, gli segnassi il punto esatto ove il clandestino molino trovavasi allocato.

Mi auguro quindi, Eccellentissimo signor Intendente, di potere far pervenire a breve un mio nuovo rapporto con le resultanze comunicatemi dai Reali Carabinieri.

Con ogni doverosa osservanza

Bovara rag. Giovanni

Al ragioniere
Bovara sig. Giovanni
Ispettore capo ai molini
Quivi

Montelusa, li 10 settembre 1877

Ho ricevuto in punto il suo non richiestole rapporto.
Ella, d'ora in avanti, dovrà usarmi la cortesia d'informarmi preventivamente di ogni passo che intende compiere nell'esercizio delle sue funzioni, sovrattutto quando ella si sente in dovere di mettere al corrente altre Autorità di fatti d'esclusiva competenza del suo Superiore diretto che, fino a prova contraria, è il sottoscritto Intendente di Finanza.

La Pergola comm. Felice

Al ragioniere
Bovara sig. Giovanni
Ispettore capo ai molini
Quivi

Montelusa, li 15 settembre 1877

Le compiego, per sua dottrina, il biglietto testé inviatomi
dal Capitano dei Reali Carabinieri Lostracco signor Alfanio e il compiegato rapporto a lui fatto pervenire dal
Maresciallo dei Reali Carabinieri Purpura Giacomo.
Ritengo per il momento superfluo ogni ulteriore commento.

L'INTENDENTE DI FINANZA
La Pergola comm. Felice

Alligati n° 2

STAZIONE DEI REALI CARABINIERI DI MONTELUSA
IL COMANDANTE

All'Eccellentissimo
La Pergola comm. Felice
Intendente di Finanza
Montelusa

Montelusa, li 15 settembre 1877

Illustrissimo commendatore,
Le compiego copia del rapporto testé inviatomi dal mio subalterno non senza, lo confesso, una qualche esitanza.
Il giorno 10 corrente mese, nella tarda mattinata, si presentava al mio cospetto il di Lei dipendente Bovara ragionier Giovanni che presso l'Intendenza copre le mansioni d'Ispettore capo.
Munito di precise commendatizie di S. E. il Prefetto, egli, con fare alquanto agitato, che io in sul momento attribuii alla stanchezza e a uno spiegabile stato di nervosismo, mi significò d'avere iscoperto un grande molino clandestino

sito nel feudo "Terrarossa" chiedendo un immediato intervento dell'Arma. Io allora gli faceva presente l'impossibilità di corrispondere alla sua pressante richiesta, datosi che i miei militi erano altrove impegnati e l'invitava pertanto a recarsi a sporgere la sua denuncia presso la Regia Questura. Da lì a poco egli a me si ripresentava riferendomi d'avere ottenuto formale rifiuto d'intervento da parte del signor Vicequestore con motivazioni che ho da ritenere tanto generiche quanto infondate.

Pressato dalle insistenze del Bovara e mosso dal vivo proposito d'ottemperare agli ordini di S. E. il Prefetto, mi faceva segnare sulla carta topografica l'esatta dilocazione del supposto molino, assicurandolo che avrei provveduto appena possibile.

A causa, tra l'altro, dei violenti nubifragi che da qualche giorno si abbattono sulla nostra Provincia rendendo impossibili gli spostamenti, solo l'altrieri ho potuto disporre l'operazione richiestami.

Il rapporto del mio subalterno, che La prego di leggere con attenzione, propone un inquietante interrogativo sull'equilibrio del suo sottoposto Bovara rag. Giovanni.

Naturalmente dovrò rendere edotto delle resultanze S. E. il Prefetto.

Accolga il mio militar saluto.

IL COMANDANTE LA STAZIONE DEI RR CC
di Montelusa
Lostracco Cap. Alfanio

Al Signor
Lostracco Capitano Alfanio
Comandante la Stazione
dei RR CC
Montelusa

Montelusa, li 15 settembre 1877

OGGETTO: Rapporto del Maresciallo dei RR CC Purpura
Giacomo

Signor Capitano!
Ricevuto il suo ordine, il sottoscritto Maresciallo Purpura
Giacomo, con l'ausiglio del Brigadiere Ballonetto Maria-
no, immediato calcolava la distanza tra Montelusa e il posto assegnato sulla carta topografica indove che si sarebbe
dovuto trovare il sopraddetto molino anonimo.
Considerato anghe il terreno fanghinoso per il diluvio di
questi giorni che avrebbe difficoltato il passo dei nostri
cavalli, abbiamo deciso di metterci in marcia col plotone
nottetempo che ancora faceva scuro.

Arrivati passato mezzogiorno a vista del paese Zammùt, invece di camminare insino al bivio di Roccella, abbiamo prosecuito per il paese onde fare ràpito rancio presso l'osteria di tale Sarcuto Filippo sita in via Nino Biscio (si alliga conto). Diquindi siamo tornati al bivio e abbiamo pigliato la trazzera assegnata sulla carta e diquindi dal feudo "Funnacazzu" siamo trascorsi al feudo "Terrarossa" indove che abbiamo rinvenuto e identificato senza che ci sia dubbio il sullodato garrubo da di dove, facendo cento passi scarsi, si arriva alla segnalata strada da carri. La quale però, a un certo punto, si mette a fare un pricorso diverso da quello a Lei contato dal sunnominato Ispettore capo. E difatto la strada, propio nel loco dove esattamente doveva trovarsi il molino anonimo, si mette a curva e prosegue per i fatti suoi.

Indove che doveva trovarsi il cosidetto molino anonimo c'è invece un pezzo di terra che due contadini stavano travagliando con aratro per semina di stagione.

A domanda essi due risposero che quel pezzo di terra da anni due e passa era stato a loro concesso, in gualità di metateri, dalla generosità del proprietario del feudo e che mai avevano veduto né in loco né nei paraggi un capannone o molino come a quello descritto dall'Ispettore Bovara.

Fatto attentamente esaminare dai miei Militi il circostanziato territorio, non furono rinvenute mole o qualisivoglia altro attrezzo molinatorio.

Per scrupolo di coscienza abbiamo noi stessi cavalcato nei contorni senza notare manco una costruzione né in legno né in muratura.

A un certo punto della nostra ricognizione passò un campiere a cavallo il quale, fattoci saluto, ci domandò con cortesia chi cosa stassimo a cercare, mettendosi a nostra disposizione datosi che quella parte di feudo dipendeva dalla sua sorveglianza. Saputo lo scopo della nostra cerca, egli si mise a ridere, dicendo che i molini più vicini si trovavano uno a Zammùt e l'altro a Caltabellotta.

A domanda, rispose che il propietario del feudo "Terrarossa" (una volta appartenuto al Marchese Borsellino) e il propietario del feudo "Funnacazzu" (una volta in posesso della famiglia dei Baroni di Baucina) è da cinque anni il signor Nicola Afflitto (don Cocò) abitante in Montelusa.

Tanto in doverosa osservanza

IL MARESCIALLO DEI RR CC
Purpura Giacomo

All'Eccellentissimo
Intendente di Finanza
Montelusa

Montelusa, li 17 settembre 1877

Eccellentissimo Intendente,
poiché da una settimana non è stato più possibile secoLei
conferire, avendomi, ogni volta che ne ho fatto richiesta,
risposto l'usciere essere Lei particolarmente indaffarato,
vengo a comunicarLe che assai aggradirei la Sua presenza
alla riunione da me indetta con i sottoispettori per domani, 18 settembre.
A malgrado del Suo contrario avviso, con l'occasione L'in-
formo che tali riunioni avranno quindicinale scadenza,
considerata la gravità della situazione che ho trovato in
questo officio.
Di giorno in giorno, vieppiù si radica in me la convinzione
che questo officio sia stato centro d'illeciti traffici che sono
sfociati persino in due omicidi rimasti sino a questo momento senza esecutori e senza mandante.

Ella ha avuto occasione, in tempi assai recenti, di richiamarmi vigorosamente all'osservanza di una regola tra tutte: ossia informarLa preventivamente di ogni mio passo.

La mia richiesta della Sua presenza alla riunione di domani coglie avvio proprio dai Suoi desiderata.

Circa l'ipotesi che traspare dal biglietto d'accompagno del Comandante la Stazione dei Reali Carabinieri Lostracco capitano Alfanio sul malagevole stato della mia salute mentale e cioè che quella notte io abbia avuto le traveggole, La prego di considerare solo una cosa.

Il sopralloco dei RR CC nel feudo "Terrarossa" è stato sì compiuto, ma con molti giorni di ritardo rispetto alla mia denuncia, vuoi per indisponibilità dell'Arma vuoi per le avverse condizioni atmosferiche. Ebbene, perché non fare la supposizione assai ragionevole che i malviventi si sieno venuti a trovare un ampio lasso di tempo a disposizione per smontare il magazzeno in legno che fungeva da molino e disperderne le tracce con l'aratro? Si è trattato di un'amara beffa, non tanto ai miei danni, ch'io sono meschina cosa, quanto allo Stato che noi rappresentiamo.

Or la questione che di conseguenza si pone è questa: chi ha per tempo avvertito i malviventi?

È questa la conturbante domanda che sorge spontanea ove i fatti si fossero svolti nel modo da me sopraddetto.

Non c'è che una risposta: qualcuno avrà letto, a Sua insaputa, il rapporto da me inviatoLe in data 10 c. m. e ne avrà reso edotto chi di ragione.

Con ogni osservanza

Bovara rag. Giovanni

Al ragionier
Bovara Giovanni
Quivi

Montelusa, li 17 settembre 1877

Non pago del disdicevole vulnus arrecato a questa Intendenza, non ancor soddisfatto di averla fatta precipitare nel ridicolo con visionarie e crescenti menzogne (adesso siamo arrivati a una fucina di delitti!) presso tutte le Autorità della Provincia, Lei osa vaneggiare ancora adducendomi la responsabilità di una trascuranza che avrebbe portato i fantomatici malviventi a conoscenza dell'intervento dei RR CC nel feudo "Terrarossa".

Lei, qual serpe velenosa, con risibili fantasie inocula il sospetto che qualcuno dei miei dipendenti sia venuto meno al dovere della discrezione cui ogni Pubblico Officiale è severamente tenuto!

Respingo con sdegno le Sue miserevoli supposizioni delle quali sarà chiamato a rendere conto.

Non potrò essere presente alla riunione da Lei indetta per domani con i suoi sottoispettori.

L'INTENDENTE DI FINANZA
La Pergola comm. Felice

All'Eccellentissimo
Intendente di Finanza
Montelusa

Montelusa, li 18 settembre 1877

OGGETTO: Rapporto dell'Ispettore capo ai molini Bovara
Giovanni

Atteso che il mio invito a presenziare alla riunione da me
indetta per stamane con i miei sottoispettori non è stato da
Lei accolto, mi faccio premura di comunicarLe quanto segue:
1) In seguito alla scoperta, del tutto casuale, di un docu-
mento importante nell'officio del defunto mio predecessore Bendicò, io veniva all'amara conclusione d'aver messo
in luce un grave dolo consistente in una preordinata rotazione delle multe da far pagare ai molini secondo scadenze fisse e ciò in seguito a un pactum sceleris tra sottoispettori e proprietari dei molini. Tale sistema, forse ereditato
da Bendicò dal suo predecessore Tuttobene, esentava i
molini da vere ispezioni e consentiva un lauto guadagno
che Bendicò ripartiva coi soci sottoispettori.

Un calcolo sommario da me in questi giorni effettuato conduce l'evasione del tributo a livello inaudito.

2) In seguito a tale scoperta, con attento studio riusciva a scoprire la cadenza delle finte multe contestate. Quindi ero in grado di prevedere con largo anticipo sulla riunione i nomi dei sottoispettori che avrebbero dichiarato d'aver riscontrato infrazioni, la gravità delle infrazioni istesse, la denominazione e la dilocazione dei molini ove tali infrazioni sarebbero state commesse. Scriveva quindi, a me stesso indirizzandola, una lettera, acciocché facesse fede il timbro postale, nella quale erano contenute le mie supposizioni. Mi permetto d'alligarLe copia della lettera il cui originale ho provveduto a depositare in loco sicuro.

3) Sentiti i rapporti dei sottoispettori, tutti perfettamente combacianti con quanto da me supposto, lacerava in loro presenza la busta e dava lettura del contenuto. Quindi li allontanava e alcuni di essi, sortendo, profferivano oscure minacce.

Ho fermo proposito di continuare questa indagine che, a mio parere, potrebbe mettere in luce una temibile organizzazione per delinquere.

E inoltre non è possibile, e di questo son certo, che i sottoispettori nei cui distretti rientravano i paesi di Zammùt e di Caltabellotta non fossero a conoscenza di quanto clandestinamente accadeva nel volatilizzato molino di "Terrarossa".

Chieggio pertanto l'immediato licenziamento di tutti indistintamente i sottoispettori, in attesa di denuncia penale agli organi competenti.

Per la loro sostituzione, mi rivolgerò direttamente alla Stazione dei RR CC di Montelusa affinché cortesemente mi indichino nomi di persone d'inattaccabile onestà. Ella comprenderà benissimo che nella presente situazione non intendo rivolgermi, com'era consuetudine, all'avvocato Fasùlo per avere da lui la lista delle persone da occupare. Con doveroso ossequio

Bovara rag. Giovanni

All'Ispettore capo
Bovara rag. Giovanni
Sede

Montelusa, li 19 settembre 1877

Egregio ragioniere,
è con sommo dispiacere che mi trovo nella necessità di doverle comunicare che il nostro Intendente La Pergola commendator Felice iersera ha accusato un forte e improvviso malessere onde il suo medico curante ne ha disposto l'immediato ricovero in un ospedale di Palermo.

La sua richiesta di licenziamento dei sottoispettori pertanto non potrà essere controfirmata, onde avere valore a tutti gli effetti, dall'Intendente. Occorrerà sperare in un suo prossimo rientro o, malaugurata ipotesi, attendere la nomina di un Reggente o di un facente funzioni.

Certo che lei vorrà associarsi nelle preghiere per la guarigione del nostro amato Intendente, la saluto.

Il Segretario particolare dell'Intendente
Augusto Borzacchini

CURIA VESCOVILE DI MONTELUSA

All'Ill.mo Rag.
Bovara Giovanni
Ispettore capo ai molini
Regia Intendenza di Finanza
Montelusa

Montelusa, li 21 settembre 1877

Illustre Ragioniere,
Sua Eccellenza il Vescovo di Montelusa, Aristide La Volpe,
del quale io, don Eustachio Parlato, sono indegno servo
nonché segretario, non si perita mio tramite di fare appello non alla Sua christiana charitas, sconoscendo Egli il suo
religioso sentire, ma alla di Lei humana pietas per impetra-
re il Suo generoso ripensamento circa il minacciato licenziamento dei Suoi sottoposti sottoispettori ai molini.
Non havvi dubbio ch'essi han fallato e meritano certa e
giusta punizione, ma ridurre in sul lastrico dieci padri di
famiglia pare, a Sua Eccellenza Rev.ma, un periglioso ec-

124

cesso che farebbe periclitare nella miseria persone che già sull'orlo d'essa trovansi.

Infra i Suoi dieci sottoispettori uno v'è che è carissimo, diletto nipote di Sua Eccellenza Rev. ma, però il nome suo Sua Eccellenza Rev.ma vietami tassativamente di rivelare, volendo Egli considerare tutti e dieci gl'incorsi nella Sua giusta ira suoi figli amatissimi senza preferenza alcuna.

Sua Eccellenza Rev.ma, certo che Ella saprà accogliere il suo paterno suggerimento, Le propone che, in luogo del minacciato licenziamento, Ella voglia prendere in considerazione la proposta di uno spostamento di distretto, sicché ogni sottoispettore venga a trovarsi a esercitare in un territorio che gli è completamente estraneo, non soggetto perciò a pressioni, minacce, ingiunzioni.

Certo, questo comporterà domicili diversi e trasferimenti d'intere famiglie con grave nocumento pecuniario.

Ma essi hanno tutti errato, purtroppo!

Sua Eccellenza Rev.ma confida che tale trasferimento serva loro d'ammonimento sicché essi mai più abbiano a tralignare discostandosi dalla luminosa via del Giusto e dell'Onesto.

Accogliendo la proposta meditata e oculata di Sua Eccellenza Rev.ma Ella si mostrerà coram populo memore di quell'*Et rege eos et extolle illos* che è arra di buon governo degli uomini.

Voglia accogliere la paterna Benedizione di Sua Eccellenza Rev.ma Aristide La Volpe, Vescovo di Montelusa.

Il Segretario particolare di Sua Eccellenza Rev.ma
il Vescovo
Mons. Eustachio Parlato

AVV. PROF. CAV. GREGORIO FASÙLO

Via della Libertà n° 8 - Montelusa

Al Ragioniere
Giovanni Bovara
Regia Intendenza di Finanza
Montelusa

Montelusa, li 21 settembre 1877

Ragioniere,
mi son giunte all'orecchio voci secondo le quali lei avrebbe manifestato l'intenzione di licenziare i sottoispettori alle sue dipendenze accusandoli fumosamente di reati che vanno dalla truffa all'associazione per delinquere.

Ove lei non lo sapesse, i nominativi sono stati da me cortesemente forniti gratis et amore deo all'Intendenza che me ne aveva fatto richiesta.

Indirettamente quindi lei m'accusa d'avere segnalato coscientemente all'Intendenza una banda di malfattori, accusa concretamente avvalorata dal fatto che lei avrebbe deciso di non rivolgersi più, per l'assunzione di nuovo personale, ai miei servigi, ma di domandare la collaborazione dei Reali Carabinieri.

L'avverto che, ove tali voci venissero confermate, adirò le vie legali nella tutela del mio Onore.

Avv. Fasùlo cav. Gregorio

DOTT. PROF. CAV. ON. GERARDO CASUCCIO
Deputato al Parlamento

Montelusa

All'Ill.mo Rag.
Bovara Giovanni
Ispettore capo ai molini
Regia Intendenza di Finanza
Montelusa

Montelusa, li 23 settembre 1877

Illustre e stimatissimo ragioniere,
sono tornato proprio ieri da una lunga permanenza roma-
na per assolvere ai miei doveri parlamentari (tra l'altro ho
avuto modo di conoscere S. E. il Ministro della Finanza
che, con somma sensibilità, si è dichiarato particolarmente attento alle segnalazioni da me fattegli sui problemi della nostra Provincia).
Ho appreso subito dell'incresciosa situazione venutasi a
creare tra Lei e i suoi sottoispettori.
Come ogni buon pastore d'anime si preoccupa della salute delle sue pecorelle, parimenti un buon Rappresentante

al Parlamento dee curarsi delle condizioni terrene di tutti coloro che, votandolo e facendolo eleggere, l'hanno in realtà sovracarcàto di doveri, oberato di doglianze, richieste, appoggi e raccomandazioni.

Le dico, senza parole di devianza, che molto duolemi il proposito da Lei manifestato di licenziare i sottoispettori che da Lei dipendono. Essi, miei elettori, me ne hanno subito informato non manifestando rabbia o propositi di vendetta, ma con l'animo contrito per l'errore che sono stati indotti a commettere.

Sì, egregio ragioniere: le cose stanno così!

Pentiti, essi m'han disvelato che, nolenti e con profonda repugnanza, han dovuto piegare il capo agli ordini dei biechi Tuttobene e Bendicò, unici ideatori e fruitori del losco traffico!

Essi impetrano il suo perdono mio tramite: il fallo è stato commesso per paura del licenziamento minacciato prima da Tuttobene e dopo da Bendicò ove essi si fossero refutati ai loro tristi maneggi.

Se Lei non recedesse dal Suo proposito, essi meschini cadrebbero dalla padella nella brace!

Son qui a proporLe che, quale severo monito, ognun di loro lasci il distretto finora assegnato e sia trasferito a un distretto nuovo: la rotazione consentirebbe ad ogni sottoispettore la liberazione da precedenti lacci. Appellandomi alla Sua ragionevolezza, La prego di gradire il mio più cordiale saluto.

Dott. Prof. Cav. On. Gerardo Casuccio
Deputato al Parlamento

Post scriptum:
La soluzione da me prospettata, tra l'altro, placherebbe le

ire del mio fraterno amico avvocato Gregorio Fasùlo: egli di conseguenza, se Lei aderisse alla tesi e alla proposta, non avrebbe segnalato volontariamente nomi di persone corrotte, ma di persone costrette alla corruzione nell'ambito del loro lavoro.

«LA CONCORDIA»

Settimanale montelusano

Direttore proprietario:
Salvatore Afflitto

23 settembre 1877

CHE SUCCEDE ALL'INTENDENZA DI FINANZA?

Un uccellino svolazzante di tetto in tetto si è ieri posato sul nostro recandoci nuove che assai sarebber divertenti se non fossero invece tragiche. Pare che il novo Ispettore capo ai molini, tal Bovara Giovanni, da Reggio Emilia qui piovuto a far danno, sia uso di girovagar pe' campi nottetempo, munito di un cannocchiale e di un due litri almeno di quello buono. Sicché frequentemente gli capita, nel cannocchiale traguardando, di prender lucciole per lanterne o fischi per fiaschi, se più v'aggrada. Giustamente sbeffeggiato, ha divisato di rivalersi sui suoi sottoposti gradasseggiando. Noi chiediamo allo stimato Intendente La Pergola commendator Felice (al quale inviamo auguri di pronta guarigione) che ne pensa Egli del Suo Ispettore? Ignora lo stimato Intendente che presso il Ministero della Finanza a Roma esiste un apposito Officio disciplina? Non sarebbe venuto il tempo di metterlo a parte delle belle imprese dell'Ispettore capo Bovara?

(S.Af.)

AVVOCATO FRANCESCO PAOLO LOSURDO

Via Indipendenza n° 33 - Montelusa

All'egregio Rag.
Giovanni Bovara
Regia Intendenza di Finanza
Montelusa

Montelusa, li 25 settembre 1877

Egregio ragioniere,
ho ricevuto stamane la sua lunga missiva e la ringrazio della fiducia accordatami.
L'articoletto sul settimanale «La Concordia» siglato S. Af. (vale a dire Salvatore Afflitto proprietario direttore) è certamente bassamente insinuante, ma legalmente non può definirsi diffamatorio.
Esso si basa, a quanto lei mi scrive, su un rapporto dei Reali Carabinieri che sostiene l'inesistenza di quanto da lei denunciato.
Questo rapporto per lei negativo fa, purtroppo, testo. Almeno sino a dimostrazione contraria.
Noi potremmo procedere contro l'Afflitto solo per aver

supposto uno stato d'alterazione alcolica al momento della scoperta del clandestino molino, ma sarebbe ben poca cosa. Ove lei dimostrasse d'essere totalmente astemio ci sarebbe una sia pur lieve speranza, in caso contrario sarei dell'opinione di non intraprendere alcuna azione legale.

Sì, alla sua domanda devo così rispondere: il signor Salvatore Afflitto è fratello (minore) di don Nicola Afflitto. Resto sempre a sua disposizione. Intanto accolga i miei saluti

Avv. Francesco Paolo Losurdo

All'Ecc.mo Cav. Uff.
Ottavio Rebaudengo
Procuratore del Re
Montelusa

Montelusa, li 25 settembre 1877

Eccellentissimo Procuratore,
il sottoscritto Bovara Giovanni, attualmente Ispettore capo ai molini presso la locale Intendenza di Finanza, si permette alligare alla presente:
1) copia della lettera da me scritta e a me stesso inviata in data 3 settembre 1877;
2) copia del mio rapporto all'Intendente in data 10 settembre 1877;
3) copia della lettera inviata in data 15 settembre 1877 dal Cap. dei RR CC all'Intendente;
4) copia del rapporto del Maresciallo dei RR CC Purpura Giacomo inviato al Cap. Lostracco in data 15 settembre 1877;
5) copia della lettera da me inviata all'Intendente in data 17 settembre 1877;
6) copia del rapporto inviato da me all'Intendente in data 18 settembre 1877;

7) copia dei rapporti a me consegnati e firmati dai sottoispettori in data 18 settembre e confermanti punto per punto quanto da me scritto a me stesso in data 3 settembre 1877;

8) copia della lettera della Curia Vescovile in data 21 settembre 1877;

9) copia della lettera inviatami dall'avv. Gregorio Fasùlo in data 21 settembre 1877;

10) copia della lettera inviatami dall'Onorevole Gerardo Casuccio in data 23 settembre 1877;

11) ritaglio del settimanale «La Concordia» in data 23 settembre 1877.

Ne tragga Lei, se lo vuole, le dovute conseguenze.

Porto per ultimo a conoscenza della S. V. Ill.ma che, in seguito a ricerche da me esperite presso i competenti offizi, tutti i proprietari dei complessivi 82 (ottantadue) molini attivi in questa provincia hanno sede societaria comune in Montelusa, in via Re Ruggero n° 18. Trattasi di una sola stanza al pianoterra che risulta essere di proprietà del signor Nicola Afflitto.

Inoltre gli ottantadue molini sono legalmente rappresentati da un solo avvocato: il signor Gregorio Fasùlo, lo stesso che segnalava all'Intendenza i nominativi per l'assunzione temporanea dei sottoispettori.

Resto a Sua disposizione per qualsiasi ulteriore chiarimento.

Accolga i sensi della mia più alta considerazione.

Bovara rag. Giovanni

Al Signor
Francescon Capitano Gustavo
Corpo Regia Guardia di Finanza
Montelusa

Montelusa, li 27 settembre 1877

Comandante,
la presente perché Lei voglia, dopo approfondita indagine, farmi pervenire dettagliato rapporto sulla consistenza patrimoniale dei signori Nicola Afflitto e avvocato Gregorio Fasùlo, ambidue residenti in Montelusa dove esercitano le loro attività.
Inoltre dovrebbe far pervenire a questa Procura gli atti costitutivi delle sottoelencate società con relativa specifica dei nomi dei soci, dei nomi dei componenti gli eventuali consigli d'amministrazione, dei nomi di tutti coloro che a qualsiasi titolo vi ricoprano incarichi:
1) Società "La Concordia" per la gestione dell'omonimo settimanale;

2) Società "Molini novi";

3) Società "Il buon Seminatore" per la conduzione dei feudi di "Terrarossa" e "Funnacazzu".

Sappia che tutte queste società, e tutte quelle che gestiscono i molini della Provincia, han sede sociale in via Re Ruggero n° 18, in un solo locale sito al piano terreno di un palazzo di proprietà del signor Nicola Afflitto che vi abita.

La sede legale di tutte le società summenzionate è invece presso l'avvocato Gregorio Fasùlo.

Nel contempo Lei farà effettuare verifica dei registri contabili.

Con molta stima

IL PROCURATORE DEL RE
Ottavio Rebaudengo

DOTT. PROF. CAV. ON. GERARDO CASUCCIO
Deputato al Parlamento

Montelusa

All'Ill.mo Grande Uff.
Eframio Focosi
Capo Officio disciplina
Ministero della Finanza
Roma

Montelusa, li 29 settembre 1877

Illustrissimo dottor Focosi,
sono lealmente ad avvertirLa d'essere in punto di presentare un'interpellanza parlamentare al Suo Ministro circa la colpevole inerzia dell'Intendente di Finanza di Montelusa, La Pergola comm. Felice, e dell'Officio da Lei diretto, che lasciano campo libero alle offensive nonché devastanti fantasticherie dell'Ispettore capo ai molini di Montelusa e Provincia, tale Bovara rag. Giovanni, il quale, con immotivato intento persecutorio, s'accanisce ai danni di un'eminente personalità della nostra Città, il signor Nicola Afflitto, definito recentemente da S. E. Rev.ma il Vescovo

di Montelusa "uomo pio e generoso, onore e vanto di questo paese".

Da ogni parte politica inoltre, fatta eccezione di alcuni mestatori, unanime è il consenso attorno al signor Afflitto, vuoi per le qualità della persona, vuoi per le numerose intraprese sempre mirate allo sviluppo civile del nostro Paese.

Lo sconsiderato accanimento dimostrato dal Bovara non ha che una sola possibile spiegazione: l'obnubilamento mentale che non gli consente il sereno ed equilibrato esercizio delle sue funzioni.

Intanto però questa insensata persecuzione ha già prodotto un primo effetto negativo. L'acuta sensibilità del signor Afflitto ne è rimasta tanto gravemente colpita che il signor Afflitto avrebbe manifestato agli intimi (tra i quali mi onoro di appartenere) l'intenzione di porre termine ai suoi affari, liquidando tutte le società in atto.

Tale proposito, se malauguratamente realizzato, significherebbe una gravissima jattura per la nostra Provincia, un vero e proprio disastro economico in quanto il signor Nicola Afflitto, con le sue molteplici attività, che vanno dall'edilizia all'esercizio della pesca, dall'agricoltura alla pubblicazione del settimanale cittadino, offre possibilità di sicuro lavoro a centinaia di capifamiglia.

Certo della comprensione del problema che Le ho sottoposto, voglia gradire i miei saluti.

Il Deputato al Parlamento
Dott. Prof. Cav. On. Gerardo Casuccio

DOTT. PROF. CAV. ON. GERARDO CASUCCIO
Deputato al Parlamento

Montelusa

PRESSANTE PERSONALE

All'Ecc.mo Grande Uff.
Salvatore Bonafede
Capo di Gabinetto
di S. E. il Ministro
di Grazia e Giustizia
Roma

Montelusa, li 29 settembre 1877

Totò beddru e amatissimo,
sono a farti nota una situazione assai grave venutasi a creare a Montelusa a causa del Procuratore del Re di qua,
Ottavio Rebaudengo, il quale, pur essendo piemontese, si
comporta peggio di un siciliano. È di Cuneo, dove mi hanno detto che hanno una testa più dura di quella dei cala-
bresi. Questo te lo scrivo perché avendo proprio ieri l'a-
mico Fasùlo domandatogli un colloquio per cercare di far-

lo ragionare, si è visto chiudere la porta in faccia. Questo Procuratore Rebaudengo, dando sconsideratamente ascolto alle farneticazioni (comprovate dai RR CC) di un Ispettore ai molini della locale Intendenza di Finanza, ha persecutoriamente scatenato la Guardia di Finanza contro il nostro carissimo amico Cocò Afflitto.

Tu sai benissimo quanta parte abbia avuto Cocò nel mio ingresso nell'agone politico: se io son potuto scendere nell'arena lo devo alla generosità concreta di Cocò. E se tu hai il posto che hai, lo devi in gran parte al mio appoggio. È come una catena di sant'Antonio, pericolosa a interrompersi.

Fasùlo è molto preoccupato per gli sviluppi che la situazione può avere. Rebaudengo e Bovara (questo è il nome dell'Ispettore ai molini) in combutta rischiano di fare più danno di una fera in una tonnara.

È per noi (e indirettamente anche per te) vitale che questo Rebaudengo venga fermato, messo nella condizione di non poter proseguire oltre.

Tu dovresti intervenire sul Ministro. Io l'ho conosciuto e m'è parso persona con la quale si può parlare.

Io tra due giorni sarò a Roma e ti racconterò tutta la vicenda nei dettagli. Se te l'ho anticipata per iscritto è perché non c'è un minuto da perdere.

Ti comunico che è stato lo stesso Cocò a ricordarsi di te suggerendomi il tuo nome per un deciso intervento che possa levarci dai coglioni questo Procuratore, magari facendolo trasferire in qualche paese del Piemonte dove l'aria natia gli farà certamente bene alla salute e alla testa.

A presto, Totò.

Ti abbraccia e ti bacia il tuo

Gegè

All'Ill.mo
don Emanuele Moro
Via della Libertà n° 15
Montelusa

Palermo, li 29 settembre 1877

Don Memè carissimo,
mi giunge ora, in forma del tutto officiosa e riservata, che
il lodo da noi richiesto circa la sua legittimazione della proprietà del fondo Pircoco, sarà a noi sfavorevole. Pertanto,
sempre secondo questa voce officiosa, il fondo Pircoco
sarebbe legalmente assegnato alla parte avversa, vale a dire
a padre Carnazza.
Ora siccome affari inerenti la mia professione mi tratten-
gono ancora per qualche giorno a Palermo, La supplico,
ove l'emanazione del lodo arbitrale dovesse avvenire in
mia assenza, di non manifestare opinione veruna al riguardo della sentenza e tantomeno abbandonarsi ad atti e parole avverso a quanto stabilito dal lodo e, in particolar modo, avverso il di Lei cugino padre Carnazza.
Ogni Sua parola, ogni Suo gesto potrebbero inficiare ogni
mia ulteriore mossa legale.

Quanto Le scrivo è nel suo personale interesse, abbia la bontà di rendersene pienamente conto.

Appena rientrerò a Montelusa, da qui a qualche giorno, mi farò personale dovere d'incontrarmi con Lei e discutere quali passi promuovere.

Intanto mi creda di Lei devot.mo

Avv. Francesco Paolo Losurdo

REGIA PROCURA DI MONTELUSA - IL PROCURATORE DEL RE

Al Signor
Francescon Capitano Gustavo
Corpo Regia Guardia di Finanza
Montelusa

Montelusa, li 30 settembre 1877

Comandante,
voglia cortesemente aggiungere all'elenco delle società del signor Nicola Afflitto queste altre due:
1) Società "La pesca miracolosa" (che comprenderebbe una ventina di barche a vela di Vigàta);
2) Società "La grotta di Nazareth" (appaltatrice di numerose opere pubbliche).
Mi è stato anche riferito che il signor Afflitto avrebbe una larga partecipazione azionaria nei quotidiani «La voce dell'Isola» e «La Gazzetta di Palermo».
Vuole accertare?
Con molta stima

IL PROCURATORE DEL RE
Ottavio Rebaudengo

Al sigor Bovara

Caro cuggino,
stamatina quando venisti in salone per farti la barba mi
domandasti che volevi una sera di questa essere invitatto a
mangiare per potermi parlare. Caro cuggino è con dispia-
ceri che ti dico che tornato a casa ho trovato i figli uno con
la scarlatina e l'altro col morbillo e in più a mia mogliere ci
ha pigliato una botta di malaria.
Perciò ho deciso di chiudiri il salone per qualichi tempo e
antare con tutta la famiglia in campagna nella casa di una
parente della mia mogliere perciò non posso avere il piaci-
ri d'invitarti.
Ti abbracio tuo affezzionato cuggino

Fefè

All'Ecc.mo Cav. Uff.
Ottavio Rebaudengo
Procuratore del Re
Montelusa

Montelusa, li 1 ottobre 1877

Eccellentissimo signor Procuratore del Re,
stante la delicatezza dell'incarico assegnato dalla S. V.
Ill.ma a questo Comando dei RR CC di Montelusa, ho voluto di persona espletare l'indagine anche perché la denunzia di un supposto molino clandestino operante nel feudo
"Terrarossa" (di proprietà, in una col limitrofo feudo
"Funnacazzu", del signor Nicola Afflitto secondo quanto
da noi riscontrato presso il Comizio Agrario di qui) era stata da me raccolta e archiviata in base alle resultanze del
rapporto a me inviato dal Maresciallo dei RR CC da me
espressamente inviato in loco.
Tornato sul posto indicato dal ragionier Bovara coll'ausilio
e la guida dello stesso Maresciallo Purpura che già eravi
stato, effettivamente riscontrava una notevole discordanza

tra il tracciato della strada descritto dal ragioniere Bovara e quello in verità esistente. Difatto, la trazzera non termina lì, ma, fatta una curva, prosegue ancora per qualche centinaio di metri fino ai piedi di una rocciosa collina dove finisce bruscamente. E lo spiazzo dove avrebbe dovuto trovarsi il molino c'è, ma si tratta di un campo arato.

Fin qui, ogni cosa concordava con quanto scritto nel rapporto del Maresciallo Purpura.

Eppure, a una considerazione più attenta dello stato del luogo, potevasi notare una qualche incongruità. La prima era che il campo era stato arato per circa due terzi: questa terza parte, in tutto identica per conformazione alle altre due, per quale cagione non era stata tocca dall'aratro? Tanto più che di un vigoroso lavoro d'aratura essa avrebbe avuto bisogno in quanto la superficie presentavasi perfettamente livellata e compatta, così resa da un peso eccessivo lungamente poggiatovi sopra. E infatto non havvi traccia alcuna d'erba. L'unica spiegazione per l'interrotta aratura non era che una: non ce n'era più bisogno, dato che l'aratro non serviva al lavoro agricolo, ma a cangiare l'apparenza del terreno. Quando questo non è stato ritenuto necessario (cioè dopo la visita compiuta dai miei militi) è stato sospeso.

Ancora un'altra incongruità: come mai, a distanza di giorni venti dalla visita del Maresciallo, i due contadini non avevano ancora provveduto alla seminagione?

Un'ultima osservazione: un centinaio di metri prima d'arrivare allo spiazzo in parte arato, la strada da carri si biforca: il braccio secondario della trazzera a seguirlo ora non porta in nessun luogo, solo ai piedi della collina rocciosa. Che scopo avrebbe quindi? Parrebbe invece del tutto logico se detto braccio avesse portato a un posto preciso, vale a dire lo sparito molino.

È possibile quindi che sia stato operato, nel lasso di tempo intercorso tra la denuncia del ragioniere Bovara e l'invio dei miei Militi, un diabolico gioco di prestidigitazione, facendo scomparire la costruzione in legno e alterando la topografia.

Resto a Sua disposizione.

IL COMANDANTE LA STAZIONE DEI RR CC
di Montelusa
Lostracco Cap. Alfanio

Mercoledì 3 ottobre 1877

Era uscito da casa alle tre del mattino per andare a fare l'ispezione che si era ripromessa al mulino "San Benedetto" dalle parti di Cianciàna. Aveva calcolato tre ore scarse di cavallo e tre ore scarse c'impiegò. Attilio Lagùmina, quello che si era presentato come il proprietario, gli mostrò il registro perfettamente in ordine, si vede che si era sparsa la voce che con lui gh'ëa picca da fâ di schersci. Sulla strada del ritorno, che già era in contrada Sanfilippo, aveva di colpo pigliato a piovere, una sciacquata violenta. Dopo era tornato il sole, ma intanto i suoi vestiti se gh'ëan assammarati. Non poteva certamente presentarsi inte l'offiçio combinato in quel modo, perciò, al bivio che stava tra Montelusa e Vigàta, ci pensò sopra tanticchia e quindi decise di fare un säto a cà pe cangiâse o vestî. Manco cinquecento metri appresso, lasciò la rotabile e imboccò una trazzera d'accorzo, solitäia, tramezo a-o zerbo: era una specie di pietraia dalla quale s'ergevano enormi massi di roccia, puntuti che parevano montagne in miniatura, da presepio gigante.

Stiddruzzu procedeva difficoltosamente da appena cinque minuti che uno sparo, fortissimo e vicinissimo, rimbombò improvviso nell'äia schillente. Una decina d'aipazzi, gracchiando, s'alzarono scantati in volo. Stiddruzzu s'impennò, fece due balzi in avanti, scartò sulla mancina e si fermò, teso, le orecchie appizzate. Giovanni saltò zu da-o cavallo e si riparò derrê a 'n prion, scocciando il revòrbaro che teneva nella sacchetta, persuaso d'essere caduto in un'imboscata. Stava con la testa abbassata; prima di taliàre torno torno voleva pensare a come si presentava la situazione. Con unna ponta d'amäo s'è dïto che fòscia l'ëa vegnùo o sò san Martin, il suo turno. Dopo Tuttobene e Bendicò ora toccava a lui. Poi sentì una rumorata di zoccoli che s'allontanavano di corsa e allora capì che il colpo era stato sparato contro qualcun altro.

Si alzò lentamente, l'arma sempre in pugno. La revorberata a l'ëa stæta tiâ de segùo da pederrê a-o prion a forma di forchetta rotta che c'era a mano manca. Si mosse. Per fermarsi quasi immediatamente. Poco distante, vicino al masso, aveva visto una mula bardata, ma senza cavaliere. Cös'o vœiva dî? Un trainello? Unna ghimmin-a? La rumorata di zoccoli in allontanamento era stata una finta per farlo venire allo scoperto mentre un segondo òmmo o se ne stava à redòsso? Si calò quasi a pancia a terra, isò il braccio e sparò un colpo in aria: che lo sapessero che pure lui era armato e per niente disposto à lasciâse ammassâ. Scilensio. Allora, invece di andare dritto verso il masso, quatelosamente principiò a fare un largo giro, descrivendo un mezzo cerchio. Tirò fora il cannocchiale, taliò. C'era sì un òmmo, ma non stava appostato. Era stinnicchiato in terra à pansa a l'äia, le braccia in croce, una larga macchia di sangue nella parte alta del petto, proprio sott'a-a göa.

D'istinto si mise a correre verso l'òmmo, poi si fermò, paralizzato. Mai prima aveva veduto a uno sparato, mai aveva veduto tanto sangue. Ripigliò a muoversi squæxi in ponta de pê, e zenogge mòlle. Quando fu a pochi passi sentì il rantolo, o meglio una specie di fischio rauco interrotto da gorgoglii raschiosi. Non era una fìmmina, come a un certo momento gli era parso, ma un parrino, aveva scangiato a sottann-a pe de fàdette.

S'inginocchiò allato al ferito, cavò dalla sacchetta il mandillo, cercò di tamponare col fazzoletto il pirtuso che quello aveva tanticchia più sotto del pomo d'Adamo. Il cappello del præve era rotolato poco distante. Giovanni era infracidato di sudore, non sapeva che fare. L'aiutò il parrino stesso, raprendo gli occhi che prima teneva serrati e taliàndolo fisso. Fu allora che Giovanni lo riconobbe: era il famoso patre Carnazza che uno dell'Intendenza gli aveva fatto conoscere e del quale gli aveva tanto parlato il cugino Fefè.

Il parrino, sempre taliàndolo, cercò d'articolare qualcosa.

«Spa... ato... spa... iiii... ato...»

Spaiato? Che veniva a significare? Forse voleva dire "sparato".

Passò una mano sotto la testa del ferito, tenendogliela leggermente sollevata. Di colpo il parrino gli artigliò la mano dritta, che Giovanni teneva a mezz'aria non sapendola dove posare, e la tirò verso di sé, costringendolo ad avvicinare la faccia alla sua. Ma doveva avere fatto uno sforzo enorme perché richiuse gli occhi esausto. Giovanni pensò che fosse morto, però la stretta del ferito era ancora forte. Il parrino riaprì gli occhi e tentò ancora di parlare.

«Mo... ro... mo... ro... cu... scinu... Fu... fu... moro... cuscinu...»

«Vuole un cuscino?» gli spiò Giovanni intordonuto.

«Fffffff... aaaaaa... nnnnnn... cu...lo» disse il parrino

lasciandogli la mano. Chiuse gli occhi, piegò la testa di lato e morì.

Era mai possibile che un præve, per quanto farabutto, in punto di morte lo mandasse a fare in culo? No, non era possibile, chissà cosa aveva voluto dire, aveva capito male.

«Padre! Padre!» lo chiamò scuotendolo.

L'altro non rispose. O non aveva più sciòu pe parlâ o non voleva asgreiâ parole con uno che non ci capiva una minchia. O era morto?!

Gli toccò, inorridito, il polso. Non batteva.

Che stava a fare ancora lì? Si susì, si levò il mantello, cummigliò il corpo del parrino, corse al cavallo, montò e al galoppo si diresse a Montelusa.

La sera avanti l'avvocato Gregorio Fasùlo aveva fatto la parte sua di quanto don Cocò gli aveva ordinato di fare. Era andato di pirsòna nella canonica a dire a patre Carnazza che don Cocò, soprattutto doppo il lodo che levava la proprietà di Pircoco a don Memè, voleva evitare alzate d'ingegno e da una parte e dall'altra, voleva insomma levare le cose di mezzo tra lui e suo cuscino Memè. Un accordo era possibile, secondo don Cocò. Per evitare chiacchiere e sparlatìne in paìsi, don Cocò aveva organizzato l'incontro in campagna, nella casuzza di Ciccio Peralta, sulla strata per Vigàta, alle dieci del matino del giorno appresso. Don Cocò pirsonalmente avrebbe governato l'incontro tra i due cuscini.

Il parrino, storcendo il muso, aveva accettato. Non sapeva che don Cocò non aveva organizzato nessun incontro pacificatorio con don Memè: o meglio, patre Carnazza, sulla trazzera che portava alla casuzza di Peralta, avrebbe sì incontrato il cuscino Memè, il quale però non voleva parlargli di niente, solo sparargli e basta. A tirarlo fora da eventuali guai ci avrebbe pinsato don Cocò, glielo aveva sullennemente promesso.

Quando Sciaverio Pipitone, incaricato di seguire da lontano tutta la facenna dell'ammazzatina, si appresentò nello studio dell'avvocato Fasùlo, questi capì subito che qualichi cosa non era andata per il verso giusto.

«Che successe?»

«Don Memè ha incontrato il parrino, se l'è portato darrè il pietrone e gli ha sparato.»

«Allora è andato tutto bene?»

«Sì e no. Quando don Memè è scappato, io mi stavo avvicinando per vidìri se il parrino era morto o no e tutt'inzèmmula è arrivato l'ispettori ai molini, quello che si chiama Bovara e che...»

«Cristo! Non ci voleva! E che ha fatto sto strunzo?»

«Ha pinsato che stavano tirando a lui. Ha sparato un colpo in aria. Ma si vidiva ca si stava cacanno sotto. Doppo s'è avvicinato al parrino. E patre Carnazza deve avergli murmuriàto qualichi cosa.»

L'avvocato Fasùlo aggiarniò.

«Ne sei sicuro? Si sono parlati?»

«M'è parso di sì.»

«Madonna biniditta! Capace che gli ha fatto il nome! Capace che gli ha detto che a spargli era stato don Memè! E don Cocò aveva pigliato impegno con lui che non gli sarebbe capitato nenti di nenti! Se sto strunzo di Bovara mette in mezzo a don Memè, don Cocò la faccia ci perde!»

«Forse era meglio se l'ammazzavo mentre stava allato al parrino» commentò a voce vascia Pipitone.

«No, Sciavè, hai fatto bene a non complicare le cose. Aspettami qua. Faccio un salto da don Cocò e torno.»

Arrivò davanti alla delegazione, attaccò Stiddruzzu affaticato per la gran currùta a un'asse di legno, trasì a palla allazzata tanto che uno ch'era di guardia non arriniscì a fermarlo, spalancò la porta dell'officio del diligato.

«Ma che minchia di modo è?» gridò Spampinato isando la testa da un foglio che stava leggendo.

Ma non disse altro, rimase a taliàre la faccia tirata di Bovara, la giacchetta e la cammisa lordate di sangue, i pantaloni induriti dal fango.

«C'è stato un omicidio» disse Giovanni col petto a stantuffo.

L'altro non fece né ai né bai, ripigliò a lèggiri.

«Mi ha sentito sì o no? C'è stato...»

«L'ho sentita, egregio ragioniere. Mi scusasse se me la piglio còmmoda. Lo sa quante ammazzatine ci sono state dal principio dell'anno a oggi in questa sola provincia? Trentotto. E con questa che lei mi dice, fanno trentanove. Allora, mi contasse cos'è questa storia.»

«Stamattina stavo tornando a casa a cambiarmi dopo avere ispezionato un mulino... Passato il bivio per Vigàta...»

«Questo me lo spiega dopo. Ha visto il fatto?»

«Visto propriamente no. Ho sentito un colpo d'arma da fuoco, molto vicino, tanto che ho pensato fosse diretto a me.»

«Ah. Lei pensa che qualcuno possa spararlo, un giorno o l'altro?»

Giovanni s'imparpagliò, raprì la bocca, la richiuse.

«Mi scusasse, ragioniere. Vada avanti.»

«Sono corso verso un masso da dove m'era parso provenisse lo sparo. E vi ho trovato un moribondo. Prima però avevo sentito l'assassino scappare a cavallo.»

«L'ha visto in faccia?»

«No, le ho detto che ho solo sentito…»

«Perché dice che quello è l'assassino?»

«Ma perché scappava dal posto dove… E poi non c'era nessun altro.»

«Eh, no, egregio. C'era macari lei. Che però non è scappato. Avanti, che ha fatto dopo?»

«Ho cercato di portargli aiuto, ho tentato di tamponare la ferita con un fazzoletto… Poi ho visto che tutto era inutile e sono venuto a denunciare il fatto.»

«Perché non è andato dai suoi amici carabinieri?»

«Perché la delegazione era più vicina. E poi i cara·binieri…»

«Non era meglio carricare il ferito sul suo cavallo e andare a cercare un medico?»

«Pensai che non sarebbe sopravvissuto.»

«Lei naturalmente non conosce a quello che hanno sparato.»

«Ma sì che lo conosco! È padre Carnazza.»

L'espressione della faccia del diligato cangiò di colpo. Ora pareva un cane cirneco che puntava la preda.

«È riuscito a dire qualcosa il parrino?»

«Sì. Prima ha detto qualcosa come "sparato". Ma, vede, era molto difficile capirlo, l'avevano colpito sotto la gola. Poi ha fatto un nome. Sulle prime non ho capito poi, mentre correvo qua, tutto mi è diventato chiaro.»

«Si spiegasse meglio» fece Spampinato tanto teso che si era susùto a mezzo dalla seggia.

«Dunque, la prima cosa che mi disse fu "spaiato" o "sparato".»

159

«Questo l'ha già detto.»

«Poi m'afferrò la mano e fece: "Moro, fu moro cuscinu". Io allora ho pensato che voleva un cuscino, gliel'ho chiesto e lui...»

S'interruppe.

«Prosegua, Cristo!»

«E lui mi ha mandato a fare in culo, forse era esasperato che io non capivo quello che voleva dire.»

«Ne è sicuro?» spiò il diligato strammàto.

«Be', sicuro sicuro, no. Ad ogni modo, mentre venivo qua, ripensando a quello che mi avevano contato dei rapporti tesi tra il prete e suo cugino Moro, ho capito che stava dicendomi che ad ammazzarlo era stato appunto suo cugino Moro.»

«Dov'è successo il fatto?» spiò Spampinato senza ammucciare la preoccupazione. «Cercasse di essere il più chiaro possibile.»

Giovanni glielo spiegò. Poi aggiunse:

«Posso andare a casa a cambiarmi?»

Spampinato non gli rispose.

«Mellùso!» chiamò ad alta voce.

S'appresentò un agente.

«Mettiti a disposizione del ragioniere. Accàttagli quello che vuole. Ma per nisciuna ragione al mondo deve nèsciri di qua.»

Mentre il diligato stava dirigendosi all'attaccapanni dove c'erano la mantella e il cappello, trasì spiritato so' frati Gnazio.

«Patre Carnazza...»

Si paralizzò all'occhiatazza che il diligato gli lanciò. Niscìrono 'nzemmula. In strada, Gnazio disse al fratello che in paìsi correva voce che il parrino era stato sparato.

Decisero, senza manco bisogno di parlarne, che prima d'ogni altra cosa bisognava informare della facenna l'avvocato Fasùlo che avrebbe riferito a chi di dovere.

«Ah, sì? Tempo ci persero» fu la reazione dell'avvocato Fasùlo quando Spampinato gli portò la notizia che avevano sparato al parrino. Ora l'avvocato era calmo, mezzorata di parlatina con don Cocò, che era un vero dio 'n terra, aveva risolto tutto. Non doveva fare altro, ora come ora, che lasciare andare le cose come dovevano, semmai tanticchia governandole.

E quindi seppe macari come reagire quando il diligato gli riferì che patre Carnazza, in punto di morte, aveva cercato di dire al ragioniere Bovara che il colpo glielo aveva tirato so' cuscino don Memè Moro.

«Eh no! Questo signor ragioniere le cose se l'inventa! Ci ha l'inclinazione per la fantasia! Se l'arricorda, diligato, quanno tirò fora la storia del molino fantasima e tentò d'infangare quel gran galantomo che è don Cocò Afflitto? Diligato, don Memè Moro in questa storia non ci trasì. E posso affermarlo con sicurezza! Ho saputo che stamatina era a letto, corcato, con la febbre a quaranta. Me lo disse manco un'ora fa il dottor Landolina, che è andato a visitarlo in campagna. Vogliamo mettere in dubbio la parola di un omo specchiato come il dottor Landolina? Don Memè, quanno il parrino è stato ammazzato, non si poteva cataminare dal letto manco per andare a pisciare. È chiaro?»

«Chiarissimo» disse il delegato. «E io ora che devo fare?»

«A mia lo domanda? Lei il dovìri so' deve fare! Con

una carrozza va sul posto, piglia il pòviro parrino, vivo o morto che sia, e lo porta allo spitàle.»

Si sentiva perso di stanchizza, non aveva pititto a malgrado che fosse da tempo passata la mezza, aveva rifutato pane, cacio e un bicchiere di vino che gli aveva portato l'agente Mellùso. Però la testa se la sentiva lucida.

Verso l'una tornò Spampinato, nìvuro in faccia, e appresso a lui trasì una persona che Giovanni non canosceva.

«Questo è La Mantìa, il mio vice» lo presentò Spampinato.

Giovanni s'inquartò. Certamente era lo stesso La Mantìa ch'era entrato nell'ufficio di Bendicò con l'avvocato Fasùlo per perquisirlo nella speranza di trovare la carta topografica dei mulini.

Spampinato s'assittò darrè il tavolino, La Mantìa pigliò una seggia e si mise allato a Giovanni. Macari lui era serio serio.

«Avete trovato padre Carnazza? Era ancora vivo?» spiò Giovanni.

I due sbirri si scangiarono un'occhiata.

«Di questo ne parliamo appresso» disse il diligato.

«Il mio superiore» intervenne La Mantìa «mi ha contato tutto quello che lei stamatina gli ha contato. Vorrei chiarita una cosa.»

«A disposizione.»

«Vossia ha un revòrbaro, dato che sparò un colpo in aria.»

«Sì» rispose Giovanni portando una mano in sacchetta. Era vacante.

«No» si corresse arrossendo.

«Ce l'ha o non ce l'ha?»

«Ecco» disse Giovanni impacciato. «Ce l'avevo e ho sparato in aria. Ma ora non l'ho più in tasca.»

«E pirchì?»

«Mah. L'unica spiegazione possibile è questa: quando mi sono inginocchiato per soccorrere il ferito, devo averlo poggiato per terra e poi non l'ho più ripreso. L'avete trovato?»

«Andiamo avanti» fece Spampinato intervenendo come se non avesse sentito la domanda di Giovanni. «Lei stamatina dichiarò che il parrino le parlò e le disse che a sparargli era stato suo cugino Moro. È accussì?»

«Guardi, delegato, che quello che tentò di dirmi non era così chiaro.»

«Che fa ora, si tira narrè?» fece La Mantìa.

«Io non mi tiro indietro! Confermo tutto! Ma, vedete, disse altre cose che non capii… A un certo momento, tenendomi una mano, articolò con difficoltà: "Moro… moro… fu moro … cuscinu". Questo l'ho inteso perfettamente.»

«Ragioniere, vossia ci bazzica col dialetto nostro?» spiò Spampinato.

«Abbastanza, sono nato a Vigàta, ma…»

«Questo lo sappiamo. Vossia sa dirmi che significa dalle nostre parti la parola moro?»

«Uno scuro di pelle.»

«Solo questo?»

«No, anche un moro vero, un arabo.»

«E basta?»

«Be', vuol dire anche muoio.»

«Lo vede quanto ce ne vuole prima che moro addiventi un cognome?» spiò La Mantìa. «Vossia dice che il parrino arrinisciva a malappena a parlare, tant'è vero che vossia scangiò la parola cuscinu con cusscinu.»

«Ma è la stessa cosa!» scattò Giovanni.

«Nonsi» ribatté il diligato. «Non la stessa cosa. Se io voglio dire cuscinu come guanciale, ci metto due esse: cussccinu. Se voglio dire invece cugino ce ne metto una sola: cuscinu. Mi spiegai?»

Giovanni sentiva che la testa principiava a fumargli.

«Mi levasse una curiosità», intervenne La Mantìa, «il parrino le disse "fu Moro" tutto d'un fiato?»

«Non capisco la domanda» disse Giovanni intronato.

«Vossia è pirsòna struìta e intelligente» premise La Mantìa «e sa come si parla. Una cosa è se io dico "fu Moro" tutto di fila, e una cosa completamente diversa è se io dico "fu ... moro". Sono due cose diverse.»

«Il significato non cangia!»

«Questo lo dice vossia. Vuole babbiare? Altro se cangia! Se tra "fu" e "moro" ci faccio una pausa, può significare che io stavo per fare il nome di chi m'aveva sparato, ma è sopravvenuto un dolore che mi fa dire che sto morendo, non il nome dell'assassino. E quindi quel "moro" è verbo, non cognome. Allora io le domando: questa pausa ci fu o non ci fu?»

«Voi mi state facendo impazzire coi vostri cavilli!» si ribellò Giovanni.

«No, egregio! Vossia è l'unico testimonio. Altro che cavilli! Noi abbiamo il dovìri di capire fino a che punto dice la virità o se ci viene a contare una virità di còmmodo!»

«Verità di comodo? Siete impazziti?»

«Vossia parla troppo di pazzia» osservò calmo La Mantìa. «E usare questa parola, a vossia, non ci conviene.»

«Ma che interesse avrei ad accusare Moro, il cugino del prete?»

«I suoi interessi ancora non li canosciamo» disse Spampinato. «Ma le voglio dire una cosa: si metta in testa che con questa storia don Memè Moro non c'entra di sicuro. Nenti di nenti.»

«Ne siete certi?»

«La mano sul foco. E c'è macari un testimonio di tutto rispetto. E ora, egregio ragioniere, che mi dice?»

«Che vorrei un bicchiere d'acqua» fece Giovanni sentendosi la gola arsa.

«Fatto tutto?» spiò l'avvocato Fasùlo a Sciaverio. «Ci furono difficortà?»

«Non ci furono difficortà. Tutto è a posto.»

«Sciavè, ora devi fare un'ultima cosa e il signor ragioniere Bovara se la può andare a pigliare nel culo *in saecula saeculorum.*»

«Amen» disse Sciaverio.

«Tu lo sai dove che abita donna Trisìna Cìcero?»

«Eccome no?! Quanno vossia, rispetto parlanno, se la futtìva, io...»

«Storia vecchia, Sciavè. Te la devi scordare.»

«Me la scordai.»

«Allora lo sai dove che abita Trisìna?»

«Certo che lo saccio. Tiene tre case, una in campagna, una in paìsi e doppo c'è quella di Vigàta indove che...»

«Sono a canoscenza che Trisìna ora è nella casa di qua, a Montelusa.»

«Meglio accussì. Se ci devo andari, sparagno strata.»

«Ci devi andare e ci devi parlare.»

«E che ci devo dire?»

L'avvocato Fasùlo gli spiegò per filo e per segno quello che doveva dirle.

«E se quella mi dice di no?»

«Allora le spieghi che non hai altra strata che quella di tirarle il collo come a una gaddrina, lì stesso e in quel momento stesso.»

Sciaverio si susì, un largo sorriso sulla faccia.

«Minchia! Che testa fina è questo don Cocò!»

L'agente Mellùso portò un bùmmolo d'acqua frisca, Giovanni ne scolò mezzo con una sola tirata.

«Si sente meglio? Possiamo continuare?» spiò il diligato.

Giovanni fece signo di sì con la testa, aveva bevuto troppa acqua, gli mancava l'aria.

«Io vorrei solamente sapìri pirchì vossia si vuole divertire tanto.»

«Io mi diverto? E come?»

«A dire minchiate» gli spiegò La Mantìa.

«A inventarsi le cose» precisò Spampinato.

«Io? E che mi sarei inventato?»

«Prisempio, la storia del molino che non c'era» fece il diligato.

«Prisempio, che a sparare al parrino era stato don Memè» disse La Mantìa.

«Prisempio, che patre Carnazza è stato sparato» fece il diligato.

Giovanni saltò dalla seggia, si sentì di colpo sufficare.

«Almeno», spiegò La Mantìa «noi, nel posto dove ci ha detto, non abbiamo trovato a patre Carnazza, né vivo né morto. E dire che abbiamo pellustrato i paraggi palmo a palmo. La vuole sapìri una cosa? Vossia quella sparatina se l'inventò.»

La càmmara principiò a firriare torno torno a Giovanni. Si susì, ma le ginocchia di ricotta non lo tennero e cadì in terra, sbinùto.

Ancora mercoledì 3 ottobre 1877

«Avvocato, mi deve crìdire», disse Spampinato. «Io e La Mantìa abbiamo smirciàto ogni centimetro darrè il pietrone che il ragioniere ci aveva detto. E abbiamo taliàto macari torno torno. Nenti. Non solo non c'era il catàfero di patre Carnazza, ma non c'era manco la minima macchiuzza di sangue.»

«E Bovara che disse quando gli avete contato che il morto non c'era?»

«Nenti disse. Svenne, longo stinnicchiato in terra.»

«Che avete fatto?»

«Abbiamo chiamato il dottore. Gli ha dato a bìviri uno sciroppo per dormìri. Dice che dormirà per almeno quattro ore. E quanno s'arrisbiglia che dobbiamo fare?»

«Quanno s'arrisbiglia, lo riaccompagnate a la so' casa. Le sue colpe non sono da galera. Almeno fino a quanno non verrà condannato. E porta sulle spalle un carrico pesante. Turbativa dell'ordine pubblico, propalazione di voci false e tendenziose, diffamazione... Ma poi io, da cristiano, mi passo una mano sulla coscienza e mi domando: sono vere colpe? Oppure si tratta di un pòvìro pazzo che dice cose senza manco sapere quello che dice?»

«Va beni, ho capito: ora come ora noi non ci possiamo fare niente.»

«Eh no, carissimo, lei può fare qualichicosa. Anzi è suo dovere farlo.»

«Si spiegasse, avvocà.»

«Lei deve fare un rapporto scritto sulla facenna in quattro copie. Subito, ora stesso. Deve contare il fatto così com'è, senza una parola cchiù o una meno. La prima la manda, a mano, al suo superiore, il questore. Le altre tre le manda, per conoscenza, al signor prefetto, al comandante dei carrabbinera e al procuratore del Re. Accussì, se qualcuno stava facendo qualichi cosa in base alle denunzie di questo pazzo, si ferma a tempo e non fa mala figura. È ragionato?»

«Ragionato è. Ma, avvocà, me lo fa un favori?»

«Se posso…»

«Me lo scrive vossia il rapporto? Io ci metterei una jornata intera.»

«Va bene. A un patto, però: tutti lo devono ricevere massimo tra due ore.»

Il trainello ideato da don Cocò andava ch'era una meraviglia. L'avvocato Fasùlo intinse, sorridendo, la penna nel calamaro.

Mentre taliàva l'avvocato che scriveva e ogni tanto gli faceva qualichi domanda di precisazione, Spampinato venne pigliato da un pinsèro che espresse ad alta voce.

«E se non fosse morto?»

L'avvocato Fasùlo restò con la penna a mezz'aria. Sapeva benissimo che il parrino era passato a peggior vita e canosceva macari il posto dove in quel momento il catàfero se ne stava, ma doveva fare finta di non sapìri niente, giocare il gioco.

«Come, non è morto?»

«Avvocà: mi stassi a sintìre. Noi, di tutta questa facenna sappiamo solamente quello che ci ha contato il ragioniere. Mi segue?»

«La seguo.»

«Ma siccome si tratta di un pazzo, può darsi che patre Carnazza non è mai stato sparato e piccamora è in chiesa che dice l'avemmarie. Opuro è vero che è stato sparato, ma non è morto. Doppo tanticchia si è susùto ed è andato a farsi curare la ferita. In questo secondo caso però il ragioniere tanto pazzo non sarebbe. E io, con questo rapporto non posso andare a dire che Bovara è completamente fora di testa e dà i nummeri.»

«Il suo ragionamento fila» disse Fasùlo facendo finta d'essere d'accordo. «Pirchì non fa un salto in chiesa mentre io finisco il rapporto e s'informa se il parrino tornò? Può macari mandare qualichiduno dei suoi òmini a spiare a tutti i medici di Montelusa e allo spitàle se hanno visto a patre Carnazza. Se in chiesa non s'è fatto vivo e se nisciuno ne sa niente, mandiamo il rapporto.»

La chiesa era piena di gente come alla festa di San Girlando. Sull'altare maggiore, al posto del parrino, c'era una fimmina che cantava e i fideli la stavano a sintìre.

Non solo tutto il paìsi aveva saputo che il parrino era stato sparato, ma tutti canoscevano macari che il corpo non era stato ritrovato. Da quest'ultima notizia, la signora Ersilia Cuccurullo aveva formulato chiaro concetto e cioè che, come Gesù, patre Carnazza era risuscitato e per questo non lo trovavano. Sarebbe indubbiamente ricomparso ai suoi fideli. Perciò l'inno che in quel momento stava cantando si chiamava "Resurrècchisit".

Il diligato non ebbe bisogno di spiare per capire che il parrino non era tornato in chiesa. Andò in diligazione, Bovara ancora dormiva sul divano dell'officio, chiamò quattro dei so' òmini e li spedì a domandare notizie ai medici e allo spitàle. Tornarono doppo un quarto d'ora. Nisciuno aveva viduto a patre Carnazza. Si portò i quattro òmini appresso e li fece aspettare per strata, davanti alla porta dello studio dell'avvocato Fasùlo. Acchianò solo.

«Possiamo mandare i rapporti, i me' òmini sono quassotto che aspettano. Nisciuno sa niente di questo parrino.»

Teneva gli occhi chiusi ma non dormiva, quello che gli aveva fatto bere il medico non aveva avuto effetto. Dubitava che potesse esistere una medicina che avesse il potere di dargli la quiete del sonno. Ogni tanto il suo corpo era scosso da lunghi, violenti brividi. Doveva avere la febbre. Un pinsèro insistente gli martoriava il cirivèddro come un trapano: il ricordo di barba Pitrinu, un fratello di sò moæ. Non era un vero arregordo, perché lui a questo barba non l'aveva mai canosciuto, ma in famiggia ogni tanto ne parlavano. Di quella volta che a Palermo era scinnùto dal treno completamente nudo e con una pægua aperta... Di quell'altra volta che, mentre si recitava in chiesa, per Natale, la "Natività di Nostro Signore" era saltato tra gli attori, aveva stretto la mano all'attrice che faceva Maria congratulandosi e le aveva spiato se la creatura appena nasciua fosse màscolo o fimmina... Barba Pitrinu era morto in manicomio che lui aveva già dozze anni. Possibile che il mattô fosse ereditario?

Letto il rapporto del delegato Spampinato, il questore si fece un dovere d'andare di corsa a trovare S. E. il signor prefetto.

«Eccellenza, ho ricevuto in punto un rapporto del delegato Spampinato sull'ispettore capo ai molini Bovara Giovanni che...»

«Anch'io l'ho ricevuto e l'ho letto» disse Sua Eccellenza. «Ha qualche idea in proposito?»

«Mi permetterei di suggerirLe, in attesa di sviluppi, che intanto Bovara sia sospeso dal servizio.»

Sua Eccellenza fece chiamare il capo di gabinetto.

«Ditemi, Curtopassi, l'intendente di Finanza è tornato in ufficio?»

«Signornò, è ancora a Palermo, in ospedale, malato.»

«Chi lo sostituisce?»

«Ci sarebbe il dottor Barreca che è, provvisoriamente, facente funzioni del futuro facente funzioni.»

«Va bene. Ora scrivo due righe a Barreca. È uno alto, biondo, coi baffi?»

«Signornò, Eccellenza, è corto, grasso e nero di pelo.»

«Fa lo stesso. Provvederete a fargliele recapitare immediatamente. Il ragioniere Bovara non è in grado d'intendere e di volere, può provocare disordine in officio e fuori dell'officio. Va subito sospeso dal suo incarico e dallo stipendio in attesa di ricovero.»

Davanti al Palazzo, il procuratore del Re Rebaudengo incontrò il presidente del Tribunale, il Grande Ufficiale De Magistris. Si strinsero la mano. Il presidente pareva avere prescia.

«Mi scusi se non mi trattengo con lei. Ma devo correre a casa a cambiarmi. Lei non viene al ricevimento della marchesa Papìa? Pare che a intratteneci stasera ci sarà monsieur Ducrot, un illusionista e prestidigitatore che tutti dicono fenomenale.»

«No, non vengo. Mia moglie non si sente bene. E poi a me non piacciono i giochi di prestigio» disse Rebaudengo che aveva appena finito di leggere il rapporto del delegato Spampinato.

Malgrado tutto a un certo momento doveva essersi appinnicato, perché si svegliò che una mano lo scutoliava.

«Ragioniere!»

«Eh?!»

«Spampinato sono. Si svegli, è quasi scuro. La riaccompagniamo a casa.»

La notizia l'allegrò. Buttò giù le gambe dal divano ma non ce la fece a reggersi addritta. Barcollò e La Mantìa lo tenne affirrandolo per un braccio. Fora della diligazione, Giovanni non vide Stiddruzzu, il cavallo.

«Non si preoccupasse della vestia» disse La Mantìa capendo il motivo dell'esitazione di Giovanni «l'abbiamo portata nella nostra stalla. D'altra parte vossia non è in condizione di stare a cavaddro.»

«E io come faccio senza vestia?»

«Vossia stanotte si riposa. Domani a matino presto la mandiamo a pigliare, vossia torna in diligazione e gli diamo il cavaddro.»

«Ma perché devo tornare in delegazione?»

«Perché ci sono tante cose in sospeso» tagliò Spampinato.

Sbirro sempre era, epperciò, a malgrado che fosse corrotto, lordo di dintra e di fora, sempre da sbirro ragionava. I casi erano due e non si scappava: se il ragioniere era un pazzo che si era inventata un'ammazzatina, perché il parrino era scomparso? Se invece l'ammazzatina era stata vera, perché il ragioniere avrebbe indicato un posto per un altro?

Acchianarono nella carrozza, Giovanni dovette essere aiutato per mettere il piede sul predellino che era alto. La Mantìa s'assittò allato a Giovanni, Spampinato di faccia. Doppo tanticchia che viaggiavano, Giovanni spiò:

«Avete trovato a patre Carnazza?»

«No» rispose secco Spampinato.

Furono le sole parole che si scangiarono per tutto il viaggio.

Sette ore di gran corsa senza fermarsi un momento manco per fare pipì, Michilinu aveva fatto currìri la vestia che quella s'era ridotta con la schiumazza alla bocca. Sballottata dintra la carrozza, donna Trisìna si sentiva la schina rotta, l'osso del cozzo che le doleva. Doppo Valledolmo, Michilinu imboccò la trazzera che portava a Liminùsa, la contrata dintra il feudo Roccella del quale Pino, il marito della soro di donna Trisìna, Agata, era il campere soprastante. Michilinu, che in quel posto già una volta ci aveva accompagnato la patrona, scinnì e andò a tuppiàre alla porta, mentre donna Trisìna faticava a ripigliare l'uso delle gambe. La porta si raprì e apparse Pino, con un lume in mano. Parlottò con Michilinu, gridò·

«Agata, to' soro Trisìna c'è.»

E corse ad aiutare a scinnìri la cognata, che sempre gli aveva fatto sangue e che, fino a questo momento, ci era solo mancata l'occasioni bona.

«Chi fu questa bella improvvisata?»

«Ah, Pinuzzo mio! Morta sono! Di scanto e di stanchizza!»

«E di cu ti scanti, Trisinè? Qua c'è to' cugnato Pinuzzo che t'addifende!»

E l'abbracciò. Trisìna si lasciò abbracciare. Pinuzzo la strinse tanticchia di più del nicissario. Trisìna si lasciò stringere tanticchia di più del nicissario. Il cognato castamente la baciò sulla fronte. Trisìna gli appoggiò la testa sul petto.

E in quel momento sulla porta di casa comparse Agata, una mantella del marito sulle spalle, un lume in mano.

«Trisinè! Giuiuzza mia! Che ti capitò?»

Pino si sciolse dall'abbraccio. Non sarebbe mancata occasione.

Attilio Lagùmina, ufficialmente proprietario del mulino "San Benedetto" stava chiudendo il portone per tornare a casa e corcarsi, dato che ogni matina alle quattro si susiva per ripigliare il travaglio, quando sentì un cavallo arrivare di corsa.

«Lagùmina!»

«È chiuso! Tornate domani a matino!»

Non poteva stare ai còmmodi di chi s'appresentava fora orario macari con mezzo sacco di cìciri.

«Pi mia il vostro molino è sempri aperto!»

Riconobbe la voce arrogante di Sciaverio Pipitone, quello che ogni tanto veniva a portargli ordini.

«Con questo scuro non t'avevo arriconosciuto, Sciavè.»

Pipitone scese da cavallo, gli si avvicinò.

«Che stai facenno?»

«Non lo vedi? Sto chiudennu.»

«Rapri.»

Senza spiare pirchì, Lagùmina obbedì. Trasìrono nel mulino.

«Addruma il lume e chiudi la porta.»

Attilio fece quello che gli era stato detto, ancora senza raprire bocca.

«Vuoi un bicchiere di vino?»

«No. Stamatina venne qua l'ispettori?»

«Sì.»

«Trovò le cose in ordine come ti avevo detto di fargli trovare?»

«Certo.»

«Stamatina non venne.»

«Eh?»

«Sordo diventasti? Stamatina tu non l'hai visto.»

«Ma a chi non vidi, biniditto il Signuri?»

«A Bovara, a questo ispettori. Non è venuto nel molino.»

«Ah, sì? E dove andò?»

«Che me ne fotte a mia dove minchia andò! L'importante è che non venne qua. Chi c'era stamatina che l'ha visto?»

«Pirsòne per macinare non ce n'erano… L'hanno visto 'Ntonio Pirrera e Mimì Catalano, quelli che travagliano qua.»

«Pirsòne a posto?»

«A postissimo.»

«E ora dove sono?»

«Se ne sono tornati a casa, domani matina alle quattro devono tornare qua.»

«Va bene. Appena abbiamo finito, tu li vai a trovare, ci parli e ci dici che macari loro stamatina non hanno veduto all'ispettori.»

«Va bene.»

«Ci possiamo fidare di questi due?»

«Come di mia stesso.»

«E di tia ci possiamo fidare?»

Attilio Lagùmina aggelò. Con Sciaverio non era cosa di babbìo.

«Vuoi coglioniare?»

«Be', allora tutto è a posto. Io me ne torno a Montelusa. Bonanotti.»

«Aspetta» fece Lagùmina.

«Che c'è?»

«Il registro.»

«Che è sto registro?»

«Il registro che segna le ispezioni. C'è scritta la data di oggi e c'è la firma dell'ispettori.»

«Fallo scomparire.»

«Non posso. Se faccio una cosa accussì, vado in galera.»

«Viene a dire che s'abbruscia.»

«Ma è la stissa cosa!»

«No, se il registro s'abbruscia da solo. Mi spiegai?»

«E come si fa a farlo abbrusciare da solo?»

«Si fa accussì. Tu, domani, quanno vieni a raprìre, addrumi il lume. Giusto?»

«Sì. E doppo?»

«E doppo il lume ti cade di mano. E il registro, ch'era propio nel punto indove che ti è caduto il lume, s'abbruscia. Macari s'abbrusciano sulamente due o tre pagine, ma una deve essere quella di stamatina. D'accordo?»

«Sì. Ma se putacaso l'incendio diventa vero e abbruscia ogni cosa?»

«Devi dire ai due to' aiutanti che devono arrivare qua doppo cinco minuti. E t'aiutano ad astutare il foco. Doppo, però, corri dai carrabbinera di Cianciàna e denunzi il fatto dell'incendio. M'arriccomando. Posso riferire che tu farai il dovìri tuo?»

«Sempri agli ordini» fece Attilio Lagùmina.

Don Memè Moro stava firriando, lume in mano, càmmara appresso càmmara, nella casa di fondo Pircoco che ora non si sapeva più a chi apparteneva, essendo morto quel grannissimo garruso di parrino che gliela aveva levata. Gliela aveva levata, ma non se l'era potuta godìri: lui gli aveva sparato, come aveva sullennemente giurato. Aveva mirato alla faccia e invece, questo l'aveva veduto chiaramente, l'aveva pigliato al petto. Le lezioni di Aliquò gli avevano portato giovamento. Sentì una carrozza trasìri nel baglio e corse a mettersi a letto. Doveva mostrarsi affebbrato, come il dottor Landolina gli aveva detto. Sentì una voce.

«Ehi di casa! Don Memè!»

La riconobbe. Era quella dell'avvocato Losurdo.

«Acchianasse, avvocà. Corcato sono.»

Losurdo trasì nella càmmara che pareva agitato.

«Perché si corcò a quest'ora?»

«Bonasira, avvocato. Sono corcato pirchì ho tanticchia di febbre. Stamatina vinni il dottori Landolina, mi visitò e mi disse di guardarmi.»

Se aveva avuto un minimo dubbio, ora all'avvocato gli scomparse: se il dottor Landolina, notoriamente omo di don Cocò, aveva dichiarato che don Memè pativa di febbre, questo stava a significare che don Memè scoppiava di salute. E quindi il suo cliente non aveva saputo reggere e aveva ammazzato il parrino.

«Lo sa che avrebbero sparato a patre Carnazza?»

«Sì, me lo disse uno che mi venne a trovare…»

S'interruppe, taliò l'avvocato con gli occhi a fessura.

«Come sarebbe a dire avrebbero?»

«Eh, sì. Il ragioniere Bovara è andato a dire a Spampinato d'avere trovato a patre Carnazza moribondo.»

«E questo me l'hanno detto.»

«Però il fatto è che quando Spampinato andò a cercare il parrino, o il suo corpo, non lo trovò.»

Questa don Memè non la sapeva. Sudò.

«Non lo trovò?!»

«Nossignore. Non c'era. Almeno così contano in paìsi. Molto probabilmente patre Carnazza era solamente ferito e il ragioniere lo credette moribondo. Si vede che il parrino s'arripigliò, si susì e si andò ad ammucciare per farsi curare. Saranno cazzi amari per chi gli ha sparato e l'ha creduto morto quanno se lo vedrà ricomparire davanti risuscitato.»

Don Memè principiò a lamentiarsi come un cane sconsolato.

«Si sente male?»

L'avvocato pinsò d'avere esagerato a mettergli scanto. Don Memè, da parte sua, si sentiva pigliato dai turchi. Era sicuro d'averlo colpito in pieno petto al parrino. Capace che, ferito mortalmente, avesse fatto qualche passo doppo il ritrovamento da parte di Bovara e poi fosse andato a morire dintra a qualiche sdirrupo. Questo pinsèro lo confortò.

«Avvocato, le volevo spiare una cosa.»

«Mi dica.»

«In caso di morte di patre Carnazza, non avendo lui eredi, la robba torna a mia? C'è speranza?»

«Devo pensarci bene. Accussì, ora come ora, non saprei che dirle. Ma prima…»

«Prima?…»

«Bisognerà essere sicuri che patre Carnazza sia morto. Non le pare?»

Arrivati davanti al cancello di legno, l'agente che portava la carrozza scinnì, lo raprì e rimontò. La carrozza proseguì e si fermò propio davanti alla porta della casa di Giovanni.

«Siamo arrivati» disse La Mantìa.

C'era scuro fitto. Giovanni cercò in sacchetta la chiave, la trovò.

«Bonanotte» fece.

«Allora siamo d'accordo: domani a matino passiamo verso le otto a pigliarla» disse Spampinato.

Giovanni fece per raprìre, ma s'accorse che la porta era aperta. Doveva essersi scordato di chiuderla, qualche volta gli capitava.

Trasì, dirigendosi verso il tavolino dove c'era il lume, ma incespicò e cadde, facendo un grido.

Spampinato e La Mantìa che stavano per montare in carrozza, trasìrono di corsa nella casa. Non vedevano niente.

«Che fu?» spiò Spampinato.

Giovanni non rispose, si era messo a chiàngiri.

La Mantìa addrumò un solfanello. Alla debole luce si addunarono che il ragioniere era inciampicato ed era caduto. Sotto a lui ci stava il catàfero di patre Carnazza.

FALDONE B

DELEGAZIONE ALLA PUBBLICA SICUREZZA DI MONTELUSA

All'Ecc.mo
Signor Questore
Montelusa

Montelusa, li 4 ottobre 1877

OGGETTO: Rapporto sull'arresto di Bovara Giovanni

Faccio seguito al rapporto dal sottoscritto Delegato inviato or è ieri dopopranzo.
Nel corso di detto dopopranzo, avendo il sottoscritto e il
vicedelegato La Mantìa comunicato al Bovara di non aver
rinvenuto il cadavere del Carnazza nel posto da lui istesso
indicato, egli non ci apponeva parola, ma cadeva in stato
di evidente malore onde per cui un medico, da noi chiamato, gli somministrava una pozione sonnorifera a scopo
di calma dell'agitazione. Infine risvegliatosi, il Bovara non
cangiava per niente quanto avevaci già detto circa i fatti
che secondo lui sarebbero successi.
Fattasi sera, il sottoscritto e il vicedelegato La Mantìa de-
cidevano di accompagnarlo in carrozza, non essendo egli

in grado di cavalcare da solo, fin nella sua casa in territorio di Vigàta, a lui locata dalla vedova Cìcero Teresina.

Arrivati che era già scuro fitto, in sulla porta di casa ci congedavamo e facevamo per salire in carrozza quando sentivamo un forte grido provenire dal di dentro dove che il Bovara erasi introdotto.

Datosi lo scuro sopradetto, non ci raccapacitavamo ancorché sentivamo il Bovara essere scoppiato in singhiozzi.

Fatto lume, scoprivamo che il Bovara erasi inciampato nel cadavere del Carnazza che ivi giacea.

Sollevato a forza il Bovara e messolo a sedere sopra una sedia non procedevamo al di lui ammanettamento inquantoché pareva un pupo di pezza.

Don Carnazza era stato ammazzato con un colpo d'arme da foco che l'aveva pigliato nella parte alta del petto, siccome lo stesso Bovara avevaci in mattinata dichiarato. Il suo cappello giacea sotto il tavolo che trovavasi poco distante in quanto trattasi di camera da mangiare.

Medesimamente in sullo istesso tavolo c'era un revolver che, dalla specifica del porto d'arme concesso al Bovara, risultava d'appartenenza del Bovara istesso.

Nel tamburo del quale rinvenivansi numero cinque cartucce, vale a dire che l'arme era a carica completa. Di queste cinque cartucce una soltanto si manifestava esplosa.

Si richiama alla mente della S. V. Ill.ma che don Carnazza risulta raggiunto da un solo colpo mortale.

Inviata di ritorno la carrozza a Montelusa per l'avvertenza del caso al signor Pretore Zagarella cav. Alfio e al dottore Puma cav. Graziano, il sottoscritto e il La Mantìa divisavano, dopo aver legato a una sedia il Bovara che sempre pareva un pupo, di procedere a perquisizione. Ma prima il La Mantìa faceva il giro della casa e proprio dietro di essa, legata a un albero, rinveniva la mula di proprietà notoria di don Carnazza.

Nel girare torno torno, l'occhio di subito mi cadeva nella credenza di detta camera da mangiare in sulla quale spiccavano due candelabri a sei braccia d'argento massiccio. Detti candelabri erano stati denunziati qualche giorno passato dallo istesso don Carnazza quale rubati dalla chiesa della quale era parroco.

Saliti nella camera di letto, scoprivamo che le linzòla indove che dormiva il Bovara portavano ricamate le cifre del nome e cognome di don Carnazza, appartenendo quindi al di lui corredo.

Dal che il sottoscritto e il La Mantìa si facevano capaci sul perché e il percome dell'avvenuto fatto di sangue.

Era notorio in paese che la vedova Cìcero Teresina intratteneva da qualche tempo congressi carnali con don Carnazza, andando a recarsi nella di lui casa soprastante la chiesa ogni mattina appena che finiva la prima messa.

Conosciuto il Bovara per via della locazione della sua casa sita in Vigàta la vedova deve essersi invaghita dell'ispettore ai molini e certamente tra i due deve essere svampato un intreccio datosi che la Cìcero risulta di facile costume.

In seguito a questo, istillata dal Bovara o per sua personale volontà, la Cìcero colmava il novello amante di tutto quello che otteneva dal prete o che appo lui riusciva a trafugare.

Il concetto che subito salta alla mente di conseguenza è che il prete, scoperta la tresca della sua amante con il Bovara, si sia recato nella sua abitazione per una spiegazione tra uomini, ma, alla vista dei candelabri rubati, si sia molto arrabbiato onde per cui, accesosi un diverbio, il Bovara abbia estratto il revolver sparando e ammazzandolo.

Avrebbe quindi nascosto nel di dietro la mula e sarebbe venuto in delegazione a Montelusa contando una storia diversa da quella veramente successa.

Ma, è questa la domanda che mi sono apposta, perché avrebbe fatto questa mossa? Non seppi, in sul momento, darmi risposta.

Intanto, avendo il dottore constatato la morte del cadavere e avendo il signor Pretore disposto l'asporto della salma, il sottoscritto, acciò accudito, dopo aver fatto accompagnare il Bovara in Delegazione e dopo avere mandato un agente in contrada Zuccarello indove trovasi allocata la casa di campagna della suddetta Cìcero Teresina, di persona si recava nell'abitazione civile della Cìcero, sita in vicolo Garibaldi. A malgrado del bussare, nessuno facevasi vivo. Una vicina di casa, Luparello Antonia, mi portava a conoscenza che la Cìcero era partita in carrozza nella giornata avanti e non aveva più fatto ritorno a casa. Poco dopo l'agente mandato in contrada Zuccarello riferivami essere la casa di campagna disabitata.

La latitanza della Cìcero lasciava chiaramente intendere la sua complicità nel fatto di sangue commesso dal suo amante Bovara.

Ma proprio perciò si faceva largo nella mia testa la risposta alla domanda del perché il Bovara avesse armato tutto quel teatro.

La risposta è: perché il Bovara vuole passare per pazzo, mentre trattasi di un assassino sanissimo di cervello.

L'omicidio non è stato fatto a sangue caldo nel corso di una lite, ma è stato bene architettato e da lunga pezza.

Intrecciato quasi lo stesso giorno del suo arrivo a Montelusa il rapporto carnale con la Cìcero, il Bovara, d'accordo con la donna, decideva di far continuare la tresca della sua amante col prete al fine di poterlo spogliare dei suoi beni fino all'osso.

Ma il prete deve essersi accorto della nuova relazione della Cìcero col Bovara, evidentemente richiedendo indietro i regali fatti o minacciando di denunciare l'avvenuto furto dei due candelabri; fattostà che il Bovara e la sua amante, considerato il periglio onde venivansi a trovare se il prete si fosse risolto a mettere in atto i propositi, decisero di toglierlo di mezzo.

Ma prima il Bovara volle a tutti mostrare una sua inventata pazzia, acciocché l'eventuale scoperta dell'ammazzatina di don Carnazza fosse quasimente imputabile al suo svanimento di testa.

Ecco perché denunciò l'esistenza di un molino dove l'Arma non ne trovò traccia!

Ecco perché si è presentato in Delegazione dichiarando d'avere visto un omicidio in un loco mai visto e dandone la colpa a don Emanuele Moro che proprio quella mattina (cosa dal Bovara ignorata) trovavasi allettato con forte febbre!

Ecco perché ha fatto ritrovare il morto in casa sua quando avrebbe potuto gettarlo in uno sdirrupo senza che nessuno ci facesse caso!

Ecco perché si è messo a piangere quando ha intruppato (a posta) sul cadavere e vi è cascato sopra (a posta) scoppiando in singhiozzi: voleva far capire al sottoscritto e al La Mantìa che solo al momento della precipitazione sulla salma egli si fosse reso conto che quella salma l'aveva lui stesso provocata!

Il Bovara ci disse, nella sua finta pazza denuncia del matino, di essere andato a ispezionare il molino "San Benedetto" di Ciancàna. Ho mandato per scrupolo d'indagine un mio agente in loco: ebbene, tanto il proprietario del molino quanto i due lavoranti negano decisamente che quella matina il Bovara sia stato visto da loro. Ben volentieri avrebbero mostrato a sostegno della loro dichiarazione il registro delle ispezioni, se un principio d'incendio non l'avesse in parte abbrusciato. Sono a disposizione però a rendere doverosa testimonianza in Tribunale.

Per tutti questi motivi il Bovara trovasi in stato d'arresto presso la Delegazione, non ho potuto farlo tradurre in carcere perché San Vito è costipato e lo stesso dicasi del carcere centrale.

In fede

Il Delegato di P.S.
Spampinato

REGIO TRIBUNALE DI MONTELUSA

A S. E. Ill.ma
il Presidente

Montelusa, li 5 ottobre 1877

Recatosi presso la Delegazione di P.S. di Montelusa ove trovasi provvisoriamente ristretto Bovara Giovanni per procedere al di lui interrogatorio per il reato d'omicidio ascrittogli nella persona di don Artemio Carnazza, il sottoscritto constatava essere il sopradetto Bovara in stato di totale confusione mentale e in preda a manifesta turbativa. Alla mia domanda ove egli fosse nato, rispondeva una volta a Genova e un'altra volta a Vigàta, ma che erasi ravveduto, propendendo a considerarsi, al momento attuale, nato decisamente a Vigàta.

Alla stranezza di questa asserzione, dopo aver premesso di essere stato un buon giocatore di scacchi sia pur un poco fuor d'esercizio, aggiungeva che, nel corso dell'insonne notte trascorsa nella cella della Delegazione, aveva a lungo meditato sullo schema di gioco e che stimava perciò vincente la mossa del cavallo.

Almeno credo che così si sia espresso, non intendendosi il sottoscritto del gioco degli scacchi.

Faccio presente che questo sproloquio venne fatto in dialetto siciliano, rifiutandosi il Bovara di parlare l'italiano ed asserendo essere il siciliano l'unica lingua per lui più sicura per non commettere errori.

Alle mie successive domande ha opposto uno smarrito silenzio.

Il dottor Ernesto Lojacono, dal sottoscritto espressamente convocato, ha espresso l'opinione che non sarà possibile procedere all'interrogatorio del Bovara prima di una settimana.

Con osservanza

Giosuè Pintacuda
Giudice Istruttore

REGIA PROCURA DI MONTELUSA - IL PROCURATORE DEL RE

Al Signor
Francescon Capitano Gustavo
Corpo Regia Guardia di Finanza
Montelusa

Montelusa, li 6 ottobre 1877

Comandante,
risultami che la società denominata "Acheronte" per lo
sfruttamento delle miniere solfifere chiamate "Bucafosso"
e "Terranella" ha sede sociale in via Re Ruggero n° 18, nello stesso locale a piano terra delle altre società già in precedenza individuate.
La sede legale della società "Acheronte" è anch'essa presso lo studio dell'avvocato Gregorio Fasùlo.
Voglia riferirmi al più presto.
Con molta stima

IL PROCURATORE DEL RE
Ottavio Rebaudengo

«LA CONCORDIA»

Settimanale montelusano

Direttore-Proprietario:
Salvatore Afflitto

8 ottobre 1877

LETTERA APERTA AI CITTADINI DI MONTELUSA
E PROVINCIA

Cittadini!
Ricordate le parole pubblicamente pronunciate dall'onorevole Scoparo sulla pubblica piazza per salutare l'avvento della Sinistra al Governo del nostro Paese? Giova ripeterle. "Dopo diciassette anni il vecchio Governo si ritira ed il Partito d'opposizione ascende per la prima volta al potere. Le quasi spente speranze della Sicilia rivivono e sotto i migliori auspici. Anche noi, quanto i nostri avversari, e più dei nostri avversari, vogliamo che l'ordine e la libertà siano l'elemento primo dell'esistenza politica del Paese. Noi vogliamo l'ordine perché vogliamo la libertà. Vogliamo

l'ordine, ma senza violenze, senza leggi eccezionali, senza arbitrii: lo invochiamo come salvaguardia dei diritti che abbiamo conquistato, non come pretesto per chiudere il codice delle guarentigie liberali e riaprir quello degli espedienti degli antichi regimi."

Questo disse l'onorevole Scoparo.

Ma noi ben sapevamo qual fosse il costume della Sinistra! Di parole un fiume, di fatti carestia. Tempestose nubi si addensano nel cielo del nostro bel Paese e si cangeranno in rovinosa tempesta se ogni cittadino dabbene non farà sentire la sua voce di protesta a fronte delle malefatte che questo Governo di Sinistra ritiene essere manifestazioni d'ordine e di libertà!

Chicchessia può vedere a quale stato di disordine sia ridotta la nostra Provincia ad appena un anno di Governo della Sinistra.

L'indignazione di tutti i possidenti è giunta a tale che son fermamente determinati a chiuder le loro miniere, perché continuamente vessati da tasse, furti e scrocchi, dal continuo timore di vedersi abbruciato il minerale estirpato; misura che getterebbe in mezzo alla strada senza pane un tremila persone circa.

Lo stesso timore è in tutti gli agricoltori, i quali, privi di potersi liberamente portare nelle loro campagne per tema di perdere la vita, fa sì che le campagne si trovino deserte e nessuno intraprende lavori. Tale mancanza di lavoro priva della necessaria sussistenza tanti infelici che ritraggono il loro necessario alimento da' soppraddetti lavori.

Non parlo del commercio perché è dell'intutto distrutto oltre che dalle ruberie puranco dalle leggi di questo Governo e dalle sue tasse jugulatrici.

Questo è l'ordine della Sinistra!

E in quanto al nobile impegno di non "chiudere il codice delle guarentigie liberali" un solo esempio basterà.

La mia civile operosità, il mio desiderio d'adoprarmi allo sviluppo del nostro commercio, della nostra agricoltura, della nostra pesca, sempre nel pieno rispetto delle leggi e principalmente obbedendo alla mia rettilinea morale, mi hanno portato ad essere da Voi considerato una colonna di questa Provincia, ed io ne ho coscienza, pur con turbata modestia.

Orbene, un magistrato asservito al potere attuale ha intrapreso una campagna d'indagini sulle mie attività lasciando intendere d'essere io il manovriero occulto di chi sa quali loschi affari!

E sapete, concittadini, da dove prende egli le mosse per il suo intrigo ai miei danni, colpevole solo d'aver sempre e alla luce del sole, dichiarato il mio convincimento contrario alle idee di coloro che oggi ci governano?

Egli fonda le sue indagini sulle parole del tristemente noto in questi giorni alle cronache giudiziarie Bovara Giovanni il quale attualmente trovasi detenuto per aver sacrilegamente commesso omicidio in persona di un uomo di Dio, il sacerdote Artemio Carnazza.

Delitto vieppiù orrendo considerati gli abbietti motivi che l'hanno scatenato!

Io mi chiedo: qual valore di verità può avere la parola di un assassino presso un magistrato? Siamo arrivati a questo?

Io allora vi invito, concittadini, ad allontanare dal vostro animo d'onesti e d'obbedienti ogni riguardo per uomini che sono indegni delle alte cariche che pur ricoprono!

Vi invito ad unirvi a me per lottare per il ripristino vero, e non sol con fumose parole, delle liberali guarentigie.

Nicola Afflitto

REGIO TRIBUNALE DI MONTELUSA

Ottavio Rebaudengo
Procuratore del Re
Quivi

Montelusa, li 8 ottobre 1877

Signor Procuratore,
apprendo testé, dalla lettura di una lettera aperta del signor Nicola Afflitto sul settimanale «La Concordia», che dal Suo Officio è stata aperta un'inchiesta basata sulle dichiarazioni di Bovara Giovanni che io dovrò interrogare nei prossimi giorni per l'assassinio di don Artemio Carnazza.
Credo che sia opportuno Ella voglia concedermi un colloquio in merito.
Con stima

Giosuè Pintacuda
Giudice Istruttore

«LA CONCORDIA»

Settimanale montelusano

Direttore-Proprietario:
Salvatore Afflitto

10 ottobre 1877

EDIZIONE STRAORDINARIA!

Dopo la lettera aperta pubblicata sulle nostre pagine dal signor Nicola Afflitto, siamo rimasti annegati sotto le lettere e i biglietti di adesione all'appello lanciato.

Per tutte pubblichiamo la lettera del dottor Miraglia, sindaco di Montelusa.

"Il sottoscritto si reca a dovere di manifestarLe la sua piena concordanza con quanto da Lei scritto.

Il farnetichìo di un solo, perdipiù assassino, non puole essere voce da seriamente raccogliere ove non si sia mossi da altre ragioni che non quelle strettamente attinenti alla giustizia.

Laonde il sottoscritto Sindaco, nel ringraziarLa per quanto

Ella ha fatto e continua a fare per il bene dei suoi conterranei, si fa veridico interprete dei sentimenti di tutti nell'offrirLe un sincero attestato di riconoscenza sperando ch'Ella, sordo a meschine trame, continui nell'oprar suo per il bene di tutti. Il Sindaco: Alfonso Miraglia."

Ci sono pervenute lettere:

da parte del signor Attilio Garbino, sindaco di Favara;

da parte della Giunta municipale di Comitini;

da parte della Giunta municipale di Grotte;

da parte del Clero della Provincia rappresentato dal Canonico Gibilaro;

da parte dell'Unione Commercianti della Provincia;

da parte di un centinaio di privati cittadini tra i quali spiccano il marchese Pinuardi, il barone Rifirò, il conte Taetàni, il marchese Giabbracone, Salvatore Tancàmo, John Oates, Hans Gottheil, ecc.

Il seguito al prossimo numero.

DOTT. PROF. CAV. ON. GERARDO CASUCCIO
Deputato al Parlamento

Montelusa

All'Ecc.mo Grande Uff.
Salvatore Bonafede
Capo di Gabinetto
di S. E. il Ministro
di Grazia e Giustizia
Roma

Roma, 12 ottobre 1877

Totò,
a Montelusa la situazione si è fatta gravissima.
Te ne avevo scritto in data 29 settembre, ma tu invece hai preferito continuare a minartela.
Don Cocò non vuole più sentire ragioni.
È *nel tuo stesso interesse* correre ai ripari.
Questa testa di cazzo di Rebaudengo deve essere trasferito immediatamente.
Ti prevengo che i deputati Minacori, Bellavia, Scimè, Raddusa (e il sottoscritto) presenteranno un'interpellanza in

merito all'operato del Procuratore del Re a Montelusa.
È nell'interesse di questo Governo mettersi contro a una
Provincia intera?
Passerò da te nel pomeriggio, ricevimi immediatamente.

Gegè

«LA VOCE DELL'ISOLA»

Quotidiano

Direttore: Angelo Rabbito

12 ottobre 1877

POCHE RIGHE DAL DIRETTORE

Un cittadino di Montelusa, noto nell'Isola tutta per la sua intraprendenza negli affari, nel commercio, nell'agricoltura, ha fieramente protestato dalle pagine di un settimanale locale per la persecuzione alla quale viene sottoposto da un magistrato di quel Tribunale, il tutto sulla base delle cervellotiche dichiarazioni di un delinquente comune, attualmente detenuto per omicidio.

Noi, che abbiamo l'onore di conoscere di persona il signor Nicola Afflitto e abbiamo avuto modo di apprezzarne l'adamantina onestà, raccogliamo, insieme ai più, il suo grido di dolore e di sdegno.

Una magistratura, prima cieca e sorda, ora risvegliatasi sol per perseguire il giusto, non è degna di un paese civile.

«LA GAZZETTA DI PALERMO»

Quotidiano

Direttore: Manfredi Piro

14 ottobre 1877

ULTIMA ORA

Ci giunge in punto la notizia che il Procuratore del Re di Montelusa, Rebaudengo cavalier Ottavio, è stato con effetto immediato trasferito presso il Regio Tribunale di Genova.

Questo trasferimento, al quale plaudiamo, servirà certamente a placare una situazione che tanto a Montelusa quanto nella Provincia minacciava di degenerare con grave danno di tutti.

Il cavalier Rebaudengo verrà sostituito dal cavaliere Antonio Lacalamita, attualmente Procuratore del Re a Catania, dove si è fatto apprezzare per le sue spiccate doti di prudente equilibrio.

All'ecc.mo cav.
Giosuè Pintacuda
Giudice Istruttore
Tribunale
di Montelusa

Montelusa, li 14 ottobre 1877

Signor Giudice,
mi pregio comunicarLe che il detenuto Bovara Giovanni è
tornato in buone condizioni fisiche, sia pure dopo un periodo più lungo di quello da me inizialmente previsto.
Del forte turbamento che prima palesava, ora non gli è
rimasto altro che l'ostinazione a esprimersi in dialetto siciliano.
Purtuttavia, nel corso dell'interrogatorio al quale Lei
dovrà sottoporlo, vorrei pregarLa di considerare che, di
quando in quando, il Bovara torna a cadere nelle sue fissa-
zioni.
Ad esempio, egli mi ha comunicato di essere pronto a
sostenere il Suo interrogatorio solamente dopo aver appreso il trasferimento del cavalier Rebaudengo, Procura-

tore del Re. Sostiene che adesso tocca a lui la mossa.

A parte ciò, egli si è dichiarato in grado di rispondere a tutte le domande.

Di Lei devot.mo

Dott. Ernesto Lojacono

Lunedì 15 ottobre 1877

Signor Bovara, quando il cancelliere e io l'abbiamo salu-
tata, lei ha ricambiato dicendo: baciamulimani. Perché ci ha
risposto in dialetto?

Pirchì fino a quanno mi trovu in chista situazioni pen-
serò e parlerò accussì.

Guardi che la cosa, ai fini dell'interrogatorio, dato che
tanto io quanto il cancelliere siamo siciliani, non ha nessuna
importanza.

Questo lo dice vossia.

Va bene, andiamo avanti. Lei ha qualcosa da modificare
del racconto fatto al delegato Spampinato sul ritrovamento
del cadavere?

Nonsi, quanno che lo ritrovai io, ancora non era cadavere. Stava per divintarlo.

Dunque lei in sostanza conferma il ritrovamento di padre
Carnazza sulla trazzera poco dopo il bivio Montelusa-Vigàta?

Sissignuri.

E come spiega allora che il corpo è stato ritrovato a casa
sua?

Se me lo spiega prima vossia, è megliu.

Guardi, ragioniere, che qui quello che deve dare spiega-
zioni è lei.

Seconno mia, ce lo portarono a casa mia, il morto. Lo misero là pirchì io l'arritrovassi tornando. Accussì mi pigliavano nei lacci: avendo in matinata dichiarato che u parrinu l'avevo trovato in un posto, non potevo la sira stissa tornare in diligazioni dicennu ca invece u parrinu era a me' casa. Pigliato di scanto, mi sarei trovato necessitato ad andare ad ammucciarlo io stesso. E accussì sarebbe stato cchiù facile darmi la corpa dell'omicidio. Ci pari ragiunato?

Più che ragionato, mi pare romanzesco. Lei avrebbe nemici così intelligenti da inventarsi un piano siffatto?

Vossia pensa di no? Gliela hanno mai contata la storia del molino che prima c'era e doppo non c'era cchiù? Non le pare una bella alzata d'ingegno per fàrimi crìdiri pazzo? È tutta una pinsata per levarmi di mezzo. A Tuttobene l'annegarono, a Bendicò gli sparano e a mia stanno tentando di fàrimi morìri in càrzaru o in manicomiu.

Cambiamo per il momento argomento. Lei conosce la signora Teresina Cìcero, dalla quale ha affittato la casa dove abita?

Sissignuri.

Ha avuto con lei una relazione intima?

Nonsi. Io la signora Trisìna la vitti una vota sola, la domìnica istissa che andai a la casa di Vigàta. Arrivò nel doppopranzo, in carrozza, c'era macari un picciotteddru, Michilinu. Mi portò il cavaddru che m'abbisognava e macari du' para di linzòla che in casa non ce n'erano. Doppo non l'ho cchiù veduta.

Questi lenzuoli erano quelli con ricamate le iniziali di padre Carnazza?

Lei mi disse che quelle iniziali erano di so' marito.

Infatti le iniziali dei due uomini combaciano... E quando

vi siete rivisti? La donna, a ogni incontro, le portava qualcosa di nuovo?

Signor giudice, a mia vossia in castagna non mi ci piglia. Io a quella fìmmina la vitti solamente una vota. Le altre cose le attrovai sul tavolino della càmmara di mangiari qualichi jorno appresso.

Anche i due candelabri d'argento?

Macari quelli attrovai una sira tornando.

Non lo stupì il fatto che quella donna, senza motivo alcuno, a sentir lei, le abbia fatto un regalo di tanto valore?

Sì, me lo spiai. Ma mi spiegai la cosa. Lei i regali non li faceva a mia, ma a la casa. La voleva fari graziusa, macari per affittarla megliu doppo di mia. Ma pirchì non lo spiate macari a lei?

Non è reperibile. Lei ha idea dove possa essersi nascosta?

Io non saccio manco indovi che sta di casa a Montelusa.

Che motivo poteva avere la signora Cìcero per rendersi irreperibile? Se non quello d'essere complice del delitto da lei commesso?

Se veramenti non si trova, cosa che io saccio ora, ci può essire qualichi altra scascione.

Me ne dica qualcuna.

L'hanno ammazzata. Opuro l'hanno fatta scappare sotto minazza di morti.

E perché?

Signor giudice, se vossia la poteva interrogari, quella le contava la virità. E tutto chistu strumentìo che hanno studiato per fàrimi crìdiri un assassinu non funzionava cchiù.

Lei sapeva che la signora Cìcero era l'amante di padre Carnazza?

Sissi. Me lo disse un barbèri di Montelusa, che po' è me' cuscinu. Mi fece l'elenco completu.

Di cosa?

Degli amanti che la signora Cìcero aveva avuto.

Lei l'ha conosciuto di persona padre Carnazza?

Mi fu presentato da un collega mentre traversavo un corridoru all'Intindenza. U parrinu era venuto pi una facenna di tasse. Lo vitti quella vota e basta.

Perché è scoppiato in singhiozzi?

Quannu?

Quando, tornando a casa sua al buio, è inciampato nel cadavere.

La raggia.

Si spieghi meglio.

Quannu che inciampicai, capii di subito in che cosa ero inciampicato. Ero inciampicato in un mortu, ma soprattuttu in un trainello, uno sfondapiede, un lacciòlo che m'avrebbe fatto morìri assufficato. Capii subito che quel corpo era quello del parrino e mi misi a chiàngiri. Di raggia, di disperazione.

Il delegato Spampinato ha scritto che lei avrebbe dichiarato d'aver scambiato qualche parola con padre Carnazza prima che morisse.

Veru è.

E che lei alcune parole non le capì, altre invece sì?

Veru è.

Lei ha dichiarato che il moribondo disse, in modo comprensibile: fu Moro cugino.

Nonsi, la cosa non successe accussì. Io, sintendo dire la parola cuscinu, pinsai che volesse un cuscinu per la testa. Però nun saccio dire se in quel momentu u parrinu diciva cuscinu ca viene a dire cusscinu o cuscinu ca viene a dire cuginu. La differenzia di pronunzia me la spiegò il signor La Mantìa, il vicediligatu. Io pinsai che cuscinu fosse cuginu in quanto che sapìva che il signor Moro era cuginu del parrinu e canoscevo macari che tra il parrinu e il signor Moro c'era una grossa lite per una facenna d'eredità. Sapìva macari che il signor Moro ce l'aveva giurata a patre Carnazza. Accussì, mentre curriva a cavaddru verso la diligazione, feci due cchiù due fa quattru. E invece non faciva quattru, come spiegò il vicediligatu La Mantìa.

Perché secondo La Mantìa due più due non faceva quattro?

In prìmisi, mi spiegò che una cosa è dire "fu moro" tutto attaccato e un'àutra è dire "fu" puntini puntini "moro". In secùndisi, mi fece pirsuaso che "moro", in dialettu sicilianu, prima significa omo scuro di capelli, doppo significa africanu, doppo ancora significa voce di verbo e doppo doppo ancora cognomi. È per scansare il piricolo che una parola venga pigliata pi un'àutra ca io ora parlu sulu in dialettu.

E perciò lei si è convinto che dicendo "moro" il prete intendesse significare "sto morendo"? In altre parole: conferma o ritratta la sua accusa al signor Moro?

Ma quannu mai! Confermo. U parrinu disse chiaramenti che a spararlo era stato so' cuscinu Moro. Mi deve accrìdiri, signor giudice: in tuttu chistu tempu passato ccà dintra, non haiu fattu che pinsari alle paroli del parrinu mentre ca moriva... E sulamenti ora pozzo dichiarare che lui fu chiaru e iu invece non capii. Tant'è veru ca pinsai, all'ultimu, ca m'avesse mannato a fare in culu, rispetto parlanno, dispiratu pirchì non lo capivo. E invece non mi mannò a fare in culu.

Non la mandò a fare in culo?

Nonsi.

E che le disse allora?

Un mumentu e ci arrivu. Principiamu dal principiu. Quannu il parrinu si addunò ca io gli stavo allato, murmuriò una parola che mi sonò, allura, comu "spaiatu". Che veniva a significari? Nenti. E quindi pinsai che avesse malamente detto "sparatu". Ma che bisogno aveva di farimìllo sapìri quanno si vedeva benissimo che era stato sparatu? La voli sapìri una cosa, signor giudice? U parrinu non disse né spaiatu né sparatu. Fece un nome.

Ah, sì? Quale?

Spampinatu.

Spampinato?!

La manu sul foco. Vangelo. Spampinatu.

Il delegato?!

Nun lu sacciu se il diligatu opuro so' frati Gnaziu.

Il delegato ha un fratello di nome Ignazio?

Sissignuri. E il nome so' era macari nella lista. Me lo fece me' cuscinu il barbèri.

Quale lista?

Quella degli amanti della signura Cìcero. S'informasse.

Secondo lei dunque il prete avrebbe fatto i nomi di Spampinato e di Moro?

Di Spampinatu, di Moru e di...

Vada avanti. Perché si è fermato?

Pirchì ora veni u bottu grossu. Una bumma. Una cannunata. U parrinu fici un terzu nomu, non mi mandò a fare 'n culu.

Faccia questo nome.

Fasùlo. Non "fa' 'n culo".

Suvvia, non scherziamo.

Non sto babbianno, signor giudice. Ci ho ragionato sopra doppo che il signor La Mantìa m'ebbe spiegatu come funziona u nostru dialettu. Chiarissimamente patre Carnazza disse "ulo". Cognome. Se avesse voluto dire culu, avrebbe detto "ulu". È semplici.

Si rende conto di quello che dice? Lei vuole alludere all'avvocato Fasùlo?

Io non alludo, riferisco. E a pinsàricci bonu, nun è una pazzia ca il parrinu facissi questo nome. Abbisogna calcolari che macari lui è nella lista.

Quale lista? Sempre quella degli amanti della signora Cìcero che le fornì suo cugino il barbiere?

Sissignuri. In quella lista c'è l'avvocatu. S'informasse. S'appattàrono.

Si spieghi meglio.

Si misero d'accordu, Spampinatu e Fasùlo, per ammazzare il parrinu che gli aveva livàta la fìmmina e li aveva fatti cornuti.

Anche il signor Moro era nella lista?

Moro non c'era. Ma aviva centomila ragioni per sparari al parrinu. S'accodò. Fìciru una specie di consorziu.

Senta, Bovara, mi pare di ricordare che lei ha dichiarato al delegato Spampinato d'aver visto una sola persona che s'allontanava a cavallo dal luogo del delitto.

Chistu non veni a diri nenti. A sparari sarà stato solamenti unu, macari se lo sono giocato a paro e sparo chi doveva ammazzarlo, ma il parrinu aveva accapito tuttu e lo disse.

Lei non ha riconosciuto l'uomo che scappava?

Nonsi, signor giudice. Era di spaddri e già luntanu.

Quindi lei sostiene che Spampinato, Moro e l'avvocato Fasùlo fecero un patto scellerato per uccidere don Carnazza?

Precisamenti. Però...

Continui.

Però, continuanno a passarmi la mano supra la cuscienza...

Ebbene?

Lu sapi com'è ca succedi, signor giudice? Ca unu parla e riparla sempri di l'istissa cosa e cchiù ne parla e cchiù la cosa si acclarisce dintra di lui. A mia sta capitando accussì. Forsi il signor La Mantìa havi raggione. Quannu u parrinu disse "moro" voleva solamenti significari "staiu murennu". Sissignuri.

Quindi lei restringerebbe il campo ai soli Spampinato e Fasùlo?

Propio accussì.

Purtroppo lei non ha testimoni.

Supra a quello ca mi dissi u parrinu, testimoniu è Diu.

Ma Dio non può presentarsi in Tribunale. E non ci sono nemmeno testimoni sul fatto che il cadavere sia stato trasportato dal posto dove lei dice d'averlo trovato a casa sua.

Nonsi, testimonii in carni e ossa non ce ne sono.

Lo vede?

Però si potrebbe dimostrari lo stesso ca chistu trasporto ci fu.

Ah, sì? E come?

La mia mantella.

Sia più chiaro.

Ora vegnu e mi spiegu. Il diligatu l'arriferì nel suo rapporto ca iu ci dissi ca mi eru livatu la mantella per cummigliare il corpo del parrinu?

Sì, questo l'ha scritto.

Benissimu. Quannu turnai a la casa e inciampicai nel morto, La Mantìa e Spampinatu addrumarono i lumi. E iu, pur essendo strammàto e pigliatu dai turchi, vitti ca la mia mantella era sopra a una seggia. E lì è restata. Se qualichiduno non è tornato doppo di noi a la casa e l'ha levata di mezzu...

D'accordo, ma che importanza ha questa mantella?

Se è veru che iu con questa mantella ci cummigliai il corpo del parrinu, la fodera della mantella, che è di culuri grigiu chiaru chiaru, si deve essiri pi forza allordata di sangue. Se inveci le cose sono andate come sostiene il diligatu, e cioè che io l'ho ammazzato a casa mia, pirchì l'internu della me' mantella, *l'internu*, badasse bene, dovrebbe essersi allordatu di sangue? E propiu all'altizza della ferita del parrinu?

Provvederò immediatamente. Questo primo interrogatorio finisce qua.

Comu addesidera vossia.

Ah, un'ultima cosa. Quando lei rientrò in casa, quella sera, la porta era chiusa a chiave?

Nun l'arricordo. Mi pari che fusse chiusa e che raprii iu. Ma nun ha importanza.

Perché?

Pirchì allato alla porta c'è una finestra ca iu tegnu quasi sempri aperta.

Quella sera era aperta o chiusa?

Nun lo ricordu.

«Lei capisce, signor Bovara» fece il giudice susendosi «che dovrò interrogarla di nuovo. Lei, Impallomèni, mi vada a chiamare il delegato.»

Il cancelleri niscì. Ma ci mise tempo assà prima che tornasse con Spampinato, il quale era giarno di faccia che pareva un pipirone ed era tanticchia sudatizzo. Dette un'occhiata carrica di raggia a Giovanni. E questi capì che il cancelleri aveva contato al diligato quello che lui aveva detto al giudice. In matinata stissa, di questo ne era certo, gli avversari sarebbero stati informati della sua mossa.

Toccava a lui e aveva giocato di cavaddru. Ora bisognava aspittare quale pezzo avrebbero giocato gli altri... Dovette fare uno sforzo per non far sparluccicare dagli occhi la sua contintizza.

«La chiave dell'abitazione del signor Bovara è in suo possesso?»

«Sissignore.»

«La vada a prendere.»

Il diligato niscì e tornò con in mano la chiave. La pruì al giudice.

«Dopo l'arresto del signor Bovara, siete tornati in casa sua?»

«Non ci è andato nisciuno.»

«Cancelliere, cominci a leggere il verbale al signor Bovara. Lei, delegato, venga con me.»

Niscìrono nel corridoio. Il giudice parlò a voce vascia:

«Voglio che il Bovara sia immediatamente tradotto nel carcere di San Vito.»

Il sudorizzo del diligato s'accentuò.

«Posso sapere pirchì?»

«Certo che lo può sapere. Per ragioni di sicurezza.»

«Non è sicuro qua in diligazione?»

«No, non lo è.»

Spampinato si chiantò con ventotto, non se la sentì di fare altre domande. Aveva pinsato di travagliarsi ad òpira d'arte quel grandissimo cornuto di ragioniere appena che il giudice girava le spalle e fargli pagari d'avere messo di mezzo suo frati Gnaziu e l'avvocato Fasùlo, scagionando quasi a don Memè Moro, secunno quanto gli aveva murmuriàto di prescia il cancelleri ch'era un so' lontanu parente.

«Vada subito dal direttore e gli dica che dietro mio ordine, che confermerò per iscritto, il Bovara va messo in cella da solo. Non cella d'isolamento, sia chiaro, ma desidero che con lui non ci sia nessun altro. Lo so che San Vito scoppia, ma non so che farci. Vada. Ah, aspetti. Desidero dirle che dell'incolumità del Bovara lei sarà responsabile fino a quando non varcherà la soglia del carcere. Da quel momento in poi ne farò carico al signor direttore. Buongiorno.»

Spampinato restò paralizzato, le gambe gli si refutavano di mettersi in movimento. Tutto questo veniva a significari che il giudice si era quasi fatto persuaso delle minchiate di quel pazzo. Ma pirchì aveva fatto il nome dell'avvocato Fasùlo? Che forse la cosa era cchiù grossa e a lui gli avevano contato solo la mezza messa? Finalmente arriniscì a caminare.

Quanno la lettura del virbale finì, Giovanni lo firmò. Venne riaccompagnato in càmmara di sicurezza da La Mantìa. Gentilissimo, quasi ossequioso.

«Impallomèni, si faccia spiegare dov'è esattamente la casa del Bovara.»

Mentre il giudice acchianava in carrozza, il cancelleri disse allo gnuri: «Accompagnate il signor giudice a Vigàta. Dunque, doppo il ponte...».

«No, Impallomèni, lei viene con me. Gli darà le spiegazioni strada facendo.»

Il cancelleri, dintra di lui, santiò tutti i santi possibili. Il diligato gli aveva raccumannato di spiegargli meglio la facenna prima possibile. Pacienza.

«Ma che, babbiamo?» fece arraggiato il direttore del càrzaro di San Vito. «Il signor giudice Pintacuda non lo sa come siamo combinati? Non lo sa che in una cella per quattro ci stanno invece nove pirsòne? Che crede, che siamo al grande hôtel?»

«Direttore, ognuno ci ha i guai so'» replicò cupo Spampinato.

«Non lo posso tenere in una cella graziosa, pulita, dove ci stanno il cavaleri Pulvirenti, il suo socio Inghirò e il terzo socio Cardillo? Sono dintra per truffa aggravata, ma è gente perbene.»

«Direttò, io le dissi quello che vole il giudice. Per il resto, è sua responsabilità. Io la saluto.»

«Va beni, mi consegni questo Bovara.»

Spampinato niscì dall'ufficio del direttore, ritrasì spingendo avanti Giovanni, gli levò le manette, salutò, se ne andò.

Giovanni si sentiva tranquillo e sirèno. Nel breve viaggio in carrozza dalla diligazione al càrzaro, Spampinato non l'aveva mai taliàto negli occhi, non gli aveva rivolto parola. Solo al momento di scìnniri dalla carrozza, oramà dintra al cortile di San Vito, l'aveva ammuttato forte. Sotto la spinta, Giovanni era caduto affacciabbocconi. Una guardia l'aveva aiutato a susìrisi.

«Capoguardia!» fece ad alta voce il direttore.

S'appresentò il capoguardia. Era piuttosto picciotto, aveva la divisa pulita.

«Questo è il signor Bovara, un carzarato di molto rispetto, a quanto si degna di farci sapìri il signor giudice Pintacuda. Vuole che stia in una cella da solo. Mi spiega come minchia facciamo?»

Il capoguardia ci pinsò tanticchia.

«Forse una soluzioni c'è. Ma m'abbisogna una mezzorata. Intanto io potrei tenerlo nel corpo di guardia.»

«Fate come criditi megliu.»

«Vènimi appressu.»

Giovanni lo seguì. Principiarono a caminare lungo un corridoio diserto. Doppo qualche passo, il capoguardia rallentò e venne a trovarsi affiancato a Giovanni il quale sentì una specie di sussurrìo che in prima non capì da dove veniva. Tutt'inzèmmula si persuase che a parlare era il capoguardia: manco cataminava le labbra, una pirsòna distante un metro non l'avrebbe sentito.

«Vossia è l'istissu Bovara ch'era ispettori capo ai molini?»

«Sì.»

Aveva cercato di parlari come l'altro, ma, mancando l'abitudine, quell'unica sillaba gli parse sparata come una fucilata.

Il capoguardia fece in silenzio qualche altro passo, doppo riattaccò.

«Havi bisognu di qualichi cosa? Carta, matita, sicarri...»

«Nun haiu moneta, non posso pagari il favore.»

«Non ho parlatu di moneta» disse l'altro. «Vossia lo tenesse a mente, se havi di bisogno, chiama il capoguardia.»

«Grazie» fece Giovanni, intronato.

Gli stavano tirando un altro laccio? In quale nuovo trainello lo volevano fare cadìri?

Oramà erano davanti alla porta del corpo di guardia.

«Mi chiamo Caminiti» fece il capoguardia. «Mio patre ha sempre detto che vossia è un galantomo.»

Ancora lunedì 15 ottobre 1877

«Quello la vera virità mi disse quanno che s'appresentò in diligazione! Il ragioneri tutta la santissima virità mi venne a contare! E lei, egregio avvocato Fasùlo, invece mi pigliò due volte per il culu!»

«Badasse a come parla, diligato.»

«La prima, facendomi crìdiri che non era stato don Memè Moro a sparare al parrinu datosi che don Memè si trovava pigliato da una botta di malaria e stava corcato nel suo letto...»

«Calma, diligato, calma!»

«Calma sta minchia! E la seconda quanno avete spostato il catàfero del parrinu dalla trazzera alla casa del ragioneri per fare incolpare dell'omicidio il ragioneri istisso! E io ci ho creduto che l'avesse ammazzato il ragioneri! La figura dello strunzo m'avete fatto fare! Ma chi ebbe questa bella alzata d'ingegno?»

«Don Cocò.»

«E mi compiaccio per la minchiata solenne!»

«Spampinato, non pisciasse fora dal rinàle!»

«Io piscio indove che mi pare e piace!»

«Diligato, la calma, in momenti come questi...»

«Calma?! Io appregai La Mantìa, ch'è cchiù bravo di

mia a parlare, di persuadìri il ragioneri che non poteva essere stato don Memè a sparare. E quello si mise a parlare che pareva un profissore! La lezione, ci fece al ragioneri! Vede, in dialetto si dice accussì, in dialetto si dice accussà... Quello la lezione se l'imparò e ce la sta mettendo nel culu para para!»

«Diligato...»

«Il ragioneri ha messo di mezzo a lei, ma lei può altissimamente stracatafottersene!»

«Quindi siamo sulla stessa barca.»

«Ma mi facesse il favore! Lei, su quella barca, è l'unico che non può annegare! Pirchì per lei c'è sempre pronto don Cocò che le getta il salvagenti!»

«A quel salvagente ci si può aggrappare macari suo fratello.»

«Macari? Ci si aggrappa lei! Pirchì me' frati deve essere messo in salvamento prima di tutti! Gnaziu in questa storia non c'entra un cazzo!»

«Pirchì, io c'entro?»

«Avvocà, lassamo pèrdiri! Glielo dico latinu: a me' frati Gnaziu io in galera non ce lo mando! È innucenti come a Cristu!»

«Diligato, nisciuno andrà in galera.»

Il diligato si susì dalla seggia, fece due o tre passi nella càmmara, inspirò profondamente, si assittò nuovamente.

«Avvocà, il cancelleri m'ha contato non solo quello che il ragioneri disse al giudice nell'interrogatorio, e cioè che ad ammazzare il parrinu erano stati lei, Gnaziu e Memè Moro, ma macari quello che il giudice trovò nella casa del ragioneri. Vale a dire il mantello allordato di sangue dalla parte interna proprio come aveva detto Bovara.»

«Questo non significa niente.»

«Avvocà, può non significare nenti e può significare tutto. A secondo di comu il giudice vede la cosa.»

«Ma a questo signor giudice la cosa non possiamo fargliela vedere a modo nostro? Non possiamo parlarci?»

«Nonsi, non si ci parla. Io lo conosco bene. E parlarci capace ch'è peggio. Io sacciu per sicuro che prima d'interrogare a Bovara si è incontrato diverse volte col procuratore Rebaudengo.»

«Minchia!»

«Perciò questa storia dev'essere fermata subito, prima che arriva la ruvìna per tutti!»

«Diligato, mi può aspittare una mezzorata qua nello studio? Tanto non deve venire nisciuno a trovarmi. Io vado a parlare con don Cocò e torno.»

Doppo l'incontro con don Cocò, quanno che l'avvocato Fasùlo trasì nella càmmara del suo studio, si sentì mancare l'aria: Spampinato si era fumato quattro sicarri in trentacinque minuti.

«Allura?»

«Tutto sistemato. Don Cocò ha stabilito che ogni cosa deve essere sistimata senza danno per nisciuno.»

«E comu?»

«Diligato, torni in diligazione. È meglio che lei se ne resta fora.»

«Posso sapìri come volete sistimari la cosa?»

«No. Nel suo stesso interesse.»

«Lei conosce già la mia opinione a proposito di tutta la faccenda» disse il procuratore Rebaudengo.

«E io sono completamente d'accordo con lei» fece il giudice Pintacuda. «Non ho più alcun dubbio che il Bovara sia completamente innocente. Penso però che non sia il momento di scarcerarlo.»

«Perché no?»

«Vede, quando ho sentito che il Bovara faceva il nome del fratello del delegato Spampinato, mi sono preoccupato per la sua incolumità. E l'ho fatto trasferire nel carcere di San Vito. Non vorrei che, rimettendolo in libertà, facesse la stessa fine dei suoi predecessori Tuttobene e Bendicò. Stavolta avevano deciso di toglierlo di mezzo con un piano raffinato: mandarlo in galera per un delitto non commesso da lui. Può darsi che, visto fallire il loro piano, decidano di ricorrere a sistemi più spicci.»

Il procuratore taliò negli occhi il giudice.

«Lei crede a quello che le ha raccontato Bovara?»

«In che senso?»

«Nel senso che una triade composta da Moro, Spampinato e Fasùlo abbia deciso l'eliminazione del prete?»

«Io? Se fossi scemo...»

«Allora?»

«Signor procuratore, io credo che in un primo momento il ragioniere Bovara abbia raccontato la verità e cioè che il prete gli ha mormorato che ad ammazzarlo era stato il cugino Moro, come era avvenuto. Poi, quando è stato lui stesso incolpato del delitto, ha abilmente modificato la sua versione, tirando in ballo il fratello del delegato e l'intoccabile avvocato Fasùlo, braccio destro di Nicola Afflitto, la vera mente di tutto.»

«A che scopo?»

«È stata una mossa disperata. Estremamente intelligente.»

«Vale a dire?»

«Vale a dire che noi, in questo momento, diventiamo come degli spettatori che assistono a un incontro sportivo. E ci conviene rimanere in questa posizione.»

«Ho capito» fece Rebaudengo. «Purtroppo io non potrò restare fino al termine dell'incontro. Dopodomani dovrò andarmene. Mi scriverà il risultato finale?»

«Ci conti» disse Pintacuda.

Il sole se ne stava calando. Don Memè era assittato sopra una poltrona nella càmmara di letto. La pultrùna era assistimata proprio darrè la persiana mezza chiusa, dimodoché don Memè poteva taliàre fora senza essere veduto. Ma il fatto era che non c'era proprio nenti da taliàre. Una volta aveva visto un coniglio sarvaggio che correva. La matina passava a salutarlo Aliquò che andava nello stazzo delle sue capre, l'istisso faceva doppo il tramonto quanno se ne tornava in pàisi. Il fatto d'avere ammazzato il parrinu gli aveva fatto tornare pititto e salute. Doveva ancora portare tanticchia di pacienza; due jorna avanti era venuto Sciaverio da parte dell'avvocato Fasùlo: questione di poco e avrebbe nuovamente potuto farsi vidìri in pàisi. Il ragioneri, gli aveva mandato a dire l'avvocato, era sempre in galera e c'erano bone spiranze che ci sarebbe ristato per tutta la vita. Fu proprio mentre pinsava a Sciaverio che lo vide comparire a cavaddro nel baglio. Sciaverio smontò e taliò in alto, verso il finestrone della càmmara di letto.

«Qua sono, Sciavè.»

«Ci devo parlari, don Memè.»

«Acchiana.»

Sciaverio trasì nella càmmara, allargò le vrazza e fece con voce festevole: «Fatta è!».

«Che viene a dire?» spiò don Memè, susendosi dalla pultrùna.

«Viene a dire che u judici stamatina interrogò al ragioneri e si fece pirsuaso che fu iddru ad ammazzare a patre Carnazza. Tutto come aveva detto don Cocò.»

«Ah, Signuri, ti ringraziu!» fece con la bocca che gli trimuliàva per l'emozione don Memè. E doppo spiò:

«Allura posso tornari in pàisi?»

«Ora stissu.»

«Maria, che bello! Chiuso qua in campagna mi pariva d'essiri in càrzaro!»

«Ah, c'è una cosa» fece Sciaverio. «Il revòrbaro, mi disse l'avvocatu, non se lo deve portare appresso. Per il sì e per il no. Lo dassi a mia che ci penso iu a farlo scumparire.»

Don Memè raprì il cassetto del commodino, pigliò l'arma per la canna, la pruì a Sciaverio.

«Carrica è?»

«Certu» arrispose don Memè.

Sciaverio gli appoggiò la bocca del revòrbaro alla tempia destra e tirò il grilletto. Il corpo di don Memè cadì sul letto a panza all'aria, le braccia in croce. Sciaverio gli mise l'arma nella mano dritta e si tirò narrè di due passi a taliàre meglio l'opra sua. Gli parse perfetta.

Allora pigliò dalla sacchetta il biglietto scritto a stampatello che gli aveva dato l'avvocato Fasùlo e lo posò a bella vista sul comodino. Il biglietto faceva accussì:

"Io ammazzai il parrino. E fui io a portare il morto in casa del ragioniere Bovara per fargli cadere sopra la colpa. Ho fatto da solo. Ora mi pigliò il rimorso."

Il capoguardia Caminiti raprì la porta della cella.

«Venisse con mia. Il direttori ci voli parlari.»

Giovanni si susì dal paglione; si mise appresso al capoguardia. Doppo aver caminato un pezzo, arrivarono nel corridoio longo.

«Lo sapi pirchì il direttori la voli vidìri?»

«No.»

«Ci lo dico io. Ora ora arrivò l'ordine di scarcerazione immediata.»

Giovanni non fece una piega, continuò a passo normale.

«Mi sentì?» spiò Caminiti parlando tanticchia più alto del solito sussurro.

«Sì.»

«E non è cuntentu?»

«Lo sapevo già» disse Giovanni.

Aveva vinto la partita. Gli altri avevano calato il re in segno di resa. Quello che ancora gli contò il capoguardia, il suicidio di don Memè, il biglietto con la confessione, non gli fece né friddu né càvudu.

Passando davanti alla porta dell'ufficio del procuratore, il giudice Pintacuda notò in basso una lamella di luce. Tuppiò.

«Avanti.»

Trasì. Il procuratore stava mettendo alcune carte dintra a una valigetta.

«Come vede, sto sgombrando. Domani mattina darò le consegne al mio successore che è già arrivato.»

«Lo sa? Ho fatto scarce…»

«L'ho saputo» disse Rebaudengo. «La notizia si è sparsa in un battibaleno. Ha fatto bene.»

«Non potevo agire diversamente, dopo il suicidio, la confessione...»

Il procuratore lo taliò negli occhi.

«Lei ci crede che si sia suicidato?»

«Io? No.»

«Nemmeno io. Perché il bigliettino di spiegazione, a quanto mi hanno riferito, è scritto a stampatello e non è firmato? Hanno voluto fare la loro mossa, apparentemente hanno dovuto dare partita vinta all'avversario. A questo punto della partita, però, l'avversario non è più Bovara.»

«E chi ci sarebbe al suo posto?»

«Noi, amico mio, e lei lo sa benissimo. Però io sono stato squalificato, in campo rimane solamente lei. Ad ogni modo consideri che si tratta di una partita difficilissima. Mettiamo che lei impugni l'autenticità del biglietto e le perizie le diano ragione. Che fa?»

«Sinceramente non lo so.»

«Vede? Mettiamo, per pura ipotesi, che lei scopra una traccia che porti agli altri due che, secondo Bovara, sono implicati nell'omicidio. Bene, per fermarla prima che lei proceda oltre, le offriranno su un piatto d'argento il fratello del delegato, Ignazio mi pare che si chiami.»

«Ma il delegato non ci starà a far condannare, o almeno implicare, il fratello. Si ribellerà!»

«Non ne avrà modo, amico mio. Devo essere io, uomo del Nord, a dire a lei come andranno le cose? Se minimamente s'accorgono che lei si sta orientando sul nome di Ignazio Spampinato, questo significa la morte del delegato.»

«Gli sparano?»

«No. Muore eroicamente in un conflitto a fuoco con dei briganti. E se lei va ostinatamente avanti e se avviene il miracolo di non essere stato intanto trasferito altrove, il successivo nome nel quale s'imbatterà sarà quello dell'avvocato Fasùlo... Stia tranquillo: se lei sarà così bravo d'inchiodarlo per l'omicidio di don Carnazza, questo, dopo appelli e contrappelli, glielo lasceranno fare. Fasùlo glielo daranno in pasto. Uscirà di scena accusato dell'omicidio del prete. E lei, che apparentemente ha vinto la partita, avrà in realtà perso.»

«Ma che dice?»

«Eh, sì. Perché la loro necessità è quella di tenere rigorosamente divisa la mia inchiesta dalla sua. Chi c'è dietro a tutto questo, e il nome non glielo faccio perché lei lo conosce benissimo, butterà a mare il suo braccio destro. E quando lei l'accuserà di essere il mandante, o quello che risulterà, dell'omicidio Carnazza, lui sarà pronto a un pubblico comunicato: delle torbide mene di una persona della quale ciecamente si fidava egli non ne sapeva niente, è stato ingannato, tradito. Dichiararsi vittima di un tradimento è sempre una mossa vincente, sa? Purché i suoi interessi economici siano salvi, è pronto a tutto. Guai se dovesse scivolare sulla buccia di banana di un omicidio.»

«Allora è inutile, secondo lei, andare avanti?»

«Non ho detto questo. Dico semplicemente che tanto lei quanto io rischiamo d'arrivare, al massimo, a una verità parziale. Be', è sempre meglio che nessuna verità.»

«Questo lo credo anch'io. E mi auguro che il suo successore...»

Il procuratore sbottò in una risata.

«Chi?»

«Come, chi? Antonio Lacalamita.»

Il procuratore continuò a ridere.

«Ma lei lo conosce?» spiò il giudice Pintacuda.

«Non ho l'onore. Ma lei ha letto quello che ha scritto

un giornale dell'isola e del quale mi risulta che l'Afflitto è azionista?»

«M'è sfuggito.»

«Ha scritto che il dottor Lacalamita è persona di spiccate doti di prudente equilibrio. Questa frase, che dalle parti mie ha un preciso significato, da queste parti ne ha un altro. Non è così?»

«È così» ammise amaro il giudice Pintacuda.

Calò silenzio. Doppo tanticchia, Pintacuda murmuriò qualche cosa che il procuratore non capì.

«Non ho sentito bene» disse.

«Niente, non vale la pena» fece il giudice.

Aveva invece detto: "Meno male che lei è fortunato e se ne va". Però si era vrigognato del pinsèro.

«E allora, che pensa di fare?» seguitò, spietato, il procuratore.

«Fingerò di credere alla confessione» rispose il giudice quasi a se stesso. Non ce la faceva a isare il tono della voce.

«Fino a quando?»

«Fino a quando non m'inventerò una mossa giusta da fare. Questo Bovara m'ha insegnato qualcosa» concluse il giudice Pintacuda.

Fora dal càrzaro, Giovanni capì che non ce l'avrebbe fatta a tornare subito nella casa di Vigàta. Imboccò via Atenea per andare a passare almeno la prima nottata all'albergo Gellia. Scurava, i lampioni erano accesi e in giro c'era pochissima gente. Ma i tre immancabili picciotteddri vestiti da òmini c'erano. Al vederlo si scappellarono, inchinandosi.

«Bonasira, ragioneri» disse uno dei tre.

«Bonasira» ricambiò Giovanni, pigliato di sorpresa.

Poi si spiegò la ragione di quel saluto. Certamente a conoscenza della faccenda, avevano voluto onorare il vincitore. Macari il portiere dell'albergo fu cordialissimo. Prima d'acchianare nella càmmara che gli era stata assegnata, Giovanni spiò se era possibile fare un bagno a quell'ora.

«Per lei, questo e altro, ragioniere! Tempo una mezzorata la farò chiamare.»

Si stinnicchiò sul letto con tutte le scarpe. E subito sentì tuppiàre insistentemente alla porta.

«Il bagno è pronto.»

Si rese conto d'essersi addormentato di colpo, come il soffio sulla fiamma di un lume. Chiuse la porta del cammarìno da bagno, s'infilò in acqua nella vasca di zinco e di subito si riaddormentò.

S'arrisbigliò che l'acqua era diventata fridda. Ma a farlo nèsciri dal sonno era stato come un raspare lèggio alla porta.

«Chi è?»

«Caminiti sono, ragioneri.»

Non era la voce del capoguardia, ma quella di suo padre, l'usciere.

«Apro subito.»

Fece per mettersi le mutande, ma al solo vederle quant'erano lorde, come del resto il vestito gettato in terra, si sentì pigliare dalla nausea. Si arrotolò un asciucamano intorno al corpo, andò a raprìre.

Caminiti stava davanti a lui rigido, impalato.

«Caminiti, che bella sorpresa!»

L'usciere tirò su col naso, si passò il dorso della mano mancina sui baffi. Doveva essere commosso. Nella mano dritta teneva un pacco.

«Me' figliu mi dissi ca l'avivano lassatu in libbirtà...

Pinsai ca stasira comu stasira se ne veniva a dormìri all'albergo... e ci portai mutanni, maglia, cammisa, quasette e vistitu di me' figliu che è quasi quantu a vossia. Si li pò mèttiri senza vrigogna, è robba pulita.»

Giovanni allungò le vrazza e strinse il vecchio.

«Grazie» riuscì a murmuriare.

«Si vistisse» disse Caminiti. «Iu minni vaiu e ci augurio la bona notti. Ah, ci voliva dire che sotto c'è u dutturi Borzacchini, u segritariu di l'intendenti.»

«E che vuole?»

«Nun lo sacciu. Ci deve parlari.»

Si rivestì pigliandosela còmmoda.

Quanno scinnì per andare al ristorante, nell'atrio, assittato su una poltrona, c'era Augusto Borzacchini. Il quale, a vederlo, si susì di scatto, s'aggiustò la cravatta, si diede una tiratina alla giacchetta e gli pruì la mano.

Giovanni fece finta di non vederla.

«Lei non può immaginare la nostra felicità appena all'Intendenza abbiamo saputo...»

«Lasci perdere. E mi dice che vuole da me.»

Per un attimo, ma solamente per un attimo, Borzacchini parse imparpagliato. Subito ripigliò l'appiombo.

«Il signor intendente, lo sa?, ringraziando il Signore, si è completamente ristabilito e da due giorni ha ripreso servizio.»

«Ah, sì?»

«E mi ha dato una lettera per lei.»

La tirò fora dalla sacchetta, la pruì a Giovanni.

«Dica all'intendente che domattina sarò in officio.»

Borzacchini si diede una tiratina alla giacchetta, s'aggiustò la cravatta, tussiculiò portandosi una mano davanti alla bocca.

«Che c'è?»

«Se lei vuole usarmi la cortesia di leggere la...»

«Lei sa quello che c'è scritto?»

«Sì.»

«Me lo dica.»

«Ecco... anche in considerazione delle traversìe alle quali è stato ingiustamente sottoposto... il signor intendente le concede un mese di licenza a partire da domani stesso... Intanto si premurerà di sottoporre un quesito al Ministero... lei capisce, un'ipotesi d'incompatibilità non è da scartare... ripeto, è solo un'ipotesi...»

«Passerò lo stesso. A prendere qualche cosa di personale che ho lasciato nell'officio.»

«Nell'officio non c'è più niente di suo. Il signor intendente in persona ha voluto accertarsene. Torno a ripetere: sarebbe imbarazzante per tutti se lei domattina venisse in Intendenza.»

Senza dire niente, Giovanni strazzò la littra e gli infilò i pezzetti nella sacchetta.

Si consolò, al ristorante, con quattro triglie di scoglio in brodetto.

Catalogo dei sogni

Appresso, chi prima e chi doppo, per tutti arrivò l'ora d'astutare il lume, corcàrsi nel letto, chiudìri gli occhi, pigliare sonno e principiare a fare sogni.

Dormiva don Cocò e sognava di stare dormendo e si vedeva da lui istisso nel mentre ca dormiva comu se fosse stata un'altra pirsòna. Si taliàva appinnicato sopra a un trono tutto sparluccicante di oro e pietre priziose dintra a un cammaròne che manco una piazza d'armi. Lui era vistùto con una tunica rossa bordata d'oro e sopra un mantello tutto arriccamato di stiddre, suli, pianeti. In testa portava una curuna accussì luccicanti ca la genti non la putìva taliàre senza ripararsi gli occhi. Tuttu 'nzemmula l'arrisbigliò una voce potente:

«Cocò Afflitto!»

«Eh?» spiò raprendo gli occhi.

Ai piedi del trono ci stava un tizio con un vastone da picoraro, vistùto con una specie di sacco tutto pirtusa pirtusa. Taliàndo meglio, si addunò che quell'uomo era lui istisso.

«Ricordati» fece quello che pariva un pellegrino «come io sto ora davanti a te! Guardami comu mi vorrebbero ridurre! Pòviro e pazzo! Ma tu devi difendermi! Abbandona i loro figli alla caristìa, falli cadere sotto i colpi della tua spata! Le loro fìmmine devono ristàre senza figli e vìdove, si devono sintìre dalle loro case solo lamenti e grida di disperazioni! Essi hanno scavato la fossa per pigliarmi, hanno tirato lacci ai me' pedi!»

«E c'era bisognu d'arrisbigliarmi per dirmi queste cose che saccio?» fece don Cocò riappisolandosi sul trono.

Il cavaliere Antonio Lacalamita, arrivato a Montelusa da Catania per sostituire il procuratore del re Rebaudengo, si era corcàto subito, stremato dal viaggio. Sta sognando di voler trasìri nel palazzo della Legge, ma davanti c'è un guardiano che gli dice che ora come ora non può farlo.

«E cchiù tardi?» fa Lacalamita.

«Può darsi» risponde il guardiano.

La porta del Palazzo però è aperta e Lacalamita si sforza di taliàre all'interno. Il guardiano si fa una bella risata.

«Se tiene tanta gana di trasìri, trasìsse pure a malgrado del mio no. Però, abbadasse: io, che sono potente, sugnu l'ultimu di tutti li guardiani. Davanti a ognuno dei trecento saloni, ci sta un guardianu, e unu è cchiù potenti di l'autru. Iu stissu, arrivatu davanti a lu terzu guardianu, già nun lo pozzu manco taliàri in faccia.»

"Ma alla Liggi non ci si dovrebbe sempri arrivari?" si spia il procuratori Lacalamita cchiù confusu ca pirsuasu.

«Preferisco aspittari» dice però al guardianu.

Allura il guardianu piglia uno sgabello e l'assistema vicino alla porta. Il procuratore ci si assetta. E in quel momentu capisce che su quello sgabello ci avrebbe passato misi, anni, vita.

Sciaverio non sapi di non aviri mai fattu un sognu tutto di filatu, con un principio o una fine, macari se si tratta di principio e di fine alla manera dei sogni che non patiscono logica. Nenti. Lui talìa solamente cose che in sogno gli spuntano davanti per tanticchia e doppo scompariscono nello scuro. Una manu di fimmina. Una cacca di cani a forma di circolo. Scuro. Un friscalettu di canna. Una vucca d'omo ca vòmmita sangue. Un pezzu di spacu longo una ventina di centimetri. Un ovo. Scuro. Un occhio ca si rapre e si chiude. Una petruzza tonda e liscia come a quelle che si trovano vicino all'acqua. Scuro. Scuro. Scuro. Un sicarro astutato. Un tappo.

Giovanni o l'è lì ch'o s'assunna che l'è ancou neutte, ma lê o l'è in sciâ coverta do barco e inte 'n momento, co o cheu ch'o ghe picca forte, o comensa à vedde Zena lontann-a fra i monti scùi e a marinn-a, tägnâ de feugo ch'a tremma pösâ in sce l'äia do mâ...

Macari il procuratore Rebaudengo stava sognando d'essere sul ponte di una nave. La costa della Sicilia era oramai una striscia sottilissima che appena si distingueva, un tratto sempre meno marcato a dividere mare e cielo. E proprio nell'attimo che non la distinse più seppe, lucidamente, di avere amato quella terra e che prima o poi ci sarebbe tornato. Si svegliò.
«Mi ci romperò la testa» disse a voce alta.

Il giudice istruttore Giosuè Pintacuda, senza sapìri né pirchì né pircomu, si era venuto a trovare proprio in mezzo a una battaglia. Si sentivano voci e sparatine da ogni latata. Il bello è che lui, pur sapendo benissimo da quale parte stava e chi fosse il nemico, non aveva ricevuto ordini precisi su quello che doveva fare. Perciò l'unica era portare pacienza e aspettare. Stava stinnicchiato in terra, con un fucile tra le mani. Era certo che avrebbe dovuto prima o doppo sparare. Intanto, cchiù forte dei colpi e delle grida, sentiva il suo cori che batteva contro il terreno coperto da aghi di pino.

L'intendente di Finanza, La Pergola commendator Felice, sognò d'arrisbigliarsi di matina e di trovarsi trasformato, nel suo letto, in un enorme, làidu scrafagliu. Riposava sulla schina dura come corazza e, isando tanticchia la testa, vidiva la sua panza arcuata, scura e come tagliata in tanti segmenti ricurvi. Le gambe invece erano addiventate numerose e fini fini e trimoliàvano continuamente in una agitazione confusa.

«Che mi capitò?» si spiò.

Ma capiva che quel sogno non era propiamente un sogno.

Da darrè un muro spuntò uno con la testa fasciata, aviva macari il vrazzo mancino attaccato al collo con una pezza bianca. Nella mano dritta teneva un revòrbaro. L'avvocato Fasùlo l'arraccanoscì.

«Baciolemani, don Cocò.»

«Salutamu, Fasù» disse don Cocò.

Sempre da darrè il muro venne fora Sciaverio. Macari lui aveva un revòrbaro in mano.

«Posso essiri d'aiuto?» spiò l'avvocato.

«Non c'è cchiù bisogno» arrisponnì don Cocò.

Sciaverio isò il vrazzo armato e gli sparò. Fasùlo sentì

una gran botta in mezzo al pettu e principiò a cadìri, cadìri senza fine. S'arrisbigliò sudatu. Era una camurrìa, stu sognu ricorrente.

Il cavaleri Brucculeri, il ricevitore postale, sta nuotanno alla dispirata in un oceanu di calze di fìmmina nìvure, di giarritteri, di mutanne arriccamate che sanno di zagara, di cammìse da notti di sita, di fodette bianche adorose di gersomìno, di spilli di nurrizza, di spinguluna dorati, di collane di perle, d'arecchini d'oro e petre priziose. Ora gli si para davanti un mare di reggipetti da traversare e lui capisce che non ce la può fare, ci sprofonnerà dintra, assufficato. Però ora si trova a dare vrazzate in qualichi cosa lìquita che non è acqua di lagu o salata, ma una massa lattiginosa, impicciccatizza. Si adduna in quel momentu che so' mogliere, nuda, fa il morto a panza all'aria.

«Ma che è sta cosa?» spia indicando il lìquito.

«È tuttu spacchiu di patre Carnazza» gli arrisponde quella, beata, galleggiando.

So' soro s'è bivùta una tazza grossa di decuttu di simenza di papaveru pirchì ha addeciso di farsi una bella dormitina. E Pinuzzo ne ha approfittatu per infilarsi nel lettu della cognata. Si sono goduta una gran ficcata. Ora donna Trisìna Cìcero dormi sola, e respira a lèggio a lèggio e il sciàto tra le so' labbra diventa una specie di musica duci duci, un canto d'àngilu. Durmennu, Trisìna torna a essiri 'nnuccenti. Il sonno accomencia a carizzarla come una mano di màscolo, prima in mezzo alle minne, doppo sulla panza, sulle natiche, in mezzo alle gammi. Appresso, prima di pigliarsela tutta, u sonnu le mette dilicatamente una benda rosa davanti agli occhi. E Trisìna, per tutta la notte, solo quella vede.

"A Barrafranca due giorni fa furon tirate due fucilate in campagna a un prete ricco, corrotto, prepotente, odiatissimo in paese. Circa 60 metri lontano dal luogo dove cadde il prete stava un torinese venuto in Sicilia da pochi giorni come ispettore di molini (macinato). Questi voltava la schiena al prete. Al rumore delle fucilate si voltò e corse verso il prete il quale prima di morire gli disse: 'M'ha assassinato il tale, mio cugino'. Il torinese montò a cavallo e corse al paese a raccontare il fatto alla stazione dei carabinieri... e sulla sua strada a tutti raccontava l'assassinio e la rivelazione dell'assassino. Il prete aveva da 12 anni una lite col cugino che l'assassinò, vi era fra loro forte inimicizia; 24 ore dopo era stato arrestato come presunto autore dell'assassinio il torinese stesso e fra i testimoni a suo carico era il cugino stesso assassino del prete e tutto il processo s'informava su questa via mentre il paese intero e i comuni circonvicini diceva sotto sotto chi era l'assassino."

Questo è l'episodio, raccontato da Leopoldo Franchetti nel suo *Politica e mafia in Sicilia* scritto nel 1876, ma pubblicato nel 1995 (Napoli, Bibliopolis), che è alla base del mio libro, una farsa tragica.

A parte quest'episodio, tutti i personaggi e tutti i fatti sono inventati di sana pianta.

L'ultimo capitolo, "Catalogo dei sogni", è composto da immagini, frasi, parole rubate a *Il libro di Geremia* (18.3), Kafka (*Dinanzi alla legge*), Faulkner (*L'urlo e il furore*), Firpo (*'O grillo cantadò*), Sciascia (*Il giorno della civetta*), Hemingway (*Per chi suona la campana*), ancora Kafka (*La metamorfosi*), Hammett (*Corkscrew*), Joyce (*Ulisse*), Proust (*La prigioniera*). Va detto anche che i brani della lettera di Gigi Piràn sono tratti dal romanzo *I vecchi e i giovani* di Luigi Pirandello.

Infine, la mia sincera gratitudine va a Silvio Riolfo Marengo che ha guidato, con intelligenza e comprensione, gli incerti passi di Giovanni Bovara nel labirinto del dialetto genovese.

a.c.

INDICE

BUR

Periodico settimanale: 27 marzo 2004
Direttore responsabile: Rosaria Carpinelli
Registr. Trib. di Milano n. 68 del 1°-3-74
Spedizione in abbonamento postale TR edit.
Aut. N. 51804 del 30-7-46 della Direzione PP.TT. di Milano
Finito di stampare nel marzo 2004 presso
il Nuovo Istituto Italiano d'Arti Grafiche - Bergamo
Printed in Italy

ISBN 88-17-25189-5